Y GROMLECH YN YR HAIDD

Y Gromlech yn yr Haidd

Nofel Arswyd

Islwyn Ffowc Elis

Gwasg Gomer
1988

Argraffiad Cyntaf — Hydref 1970
Argraffiad Newydd — 1988

ⓗ *Islwyn Ffowc Elis* ©

ISBN 0 86383 495 7

Argraffwyd gan J. D. Lewis, a'i Feibion Cyf.,
Gwasg Gomer, Llandysul, Dyfed

I'm Merch
SIÂN

Rhagair

Ym 1970 fe ymddangosodd Llyfrau Poced Gomer: pedwar llyfr clawr meddal, pob un ar werth am y pris syfrdanol isel o goron (yn yr hen arian, wrth gwrs, y pryd hwnnw). Mentrodd y Wasg argraffu pum mil o gopïau o bob un. Arbraw dewr iawn oedd hwn mewn cyhoeddi llyfrau rhad, poblogaidd yn Gymraeg. Bu'r arbraw'n llwyddiant digamsyniol.

Un o'r Llyfrau Poced hynny oedd *Y Gromlech yn yr Haidd*. Mi dybiais i, fel y gwnaeth y tri awdur arall, mae'n siŵr, ar y pryd, mai llyfrau undydd unnos fyddai'r rhain, i'w darllen unwaith a'u rhoi wedyn i ffair sborion. Pleser annisgwyl, felly, oedd clywed oddi wrth Wasg Gomer eu bod am gyhoeddi argraffiad newydd o'r stori hon. 'Rwy'n ddiolchgar am y cyfle i wneud rhai mân gywiriadau a newidiadau yn y mynegiant; ni newidiais ddim ar y stori.

Diolch i Wasg Gomer am eu gofal chwaethus gyda diwyg yr argraffiad hwn eto. Prin y mae angen i mi ganmol eu gwaith argraffu, sy'n enwog ers tro byd bellach y tu hwnt i ffiniau Cymru.

Llanbedr Pont Steffan   Islwyn Ffowc Elis
1988

1

'Daliwch i'r chwith! Yn enw'r gogoniant, y ffŵl gwirion, daliwch i'r chwith!'

Ond ofer oedd gweiddi. Yr oedd rhu'r tractor a chwyrnu'r rhwymwr yn boddi hyd yn oed lais nerthol Henderson. Doedd dim gobaith i'r llanc ar y tractor o'i flaen glywed dim. Â chlec arswydus trawodd adenydd cochion y rhwymwr yn erbyn y fwyaf o'r tair carreg dal. Bwriwyd Henderson o'i sedd nes ei fod yn lledan ynghanol yr ysgubau ar y sofl.

Os na chlywodd Gareth y gweiddi fe glywodd y glec. Diffoddodd beiriant y tractor a disgyn. A'i wyneb ifanc fel y galchen syllodd ar Henderson yn codi'n ddolurus o'r sofl.

'Be . . . be ddigwyddodd, Mr. Henderson?'

Edrychodd mewn arswyd ar y Sais tal cyhyrog yn crynu o'i flaen, y llygaid llwydion yn llosgi a'r gweflau'n glasu gan gynddaredd mud. O'r diwedd, fe dorrodd yr argae.

'Beth ddigwyddodd! Rydych *chi*'n gofyn i *mi* beth ddigwyddodd? Oes gennoch chi ddim llygaid i weld?'

Yn betrus, symudodd Gareth tua'r rhwymwr briwedig ar ogwydd yn erbyn y garreg. Rhythodd yn geg-agored ar y dinistr.

'Dwy o adenydd y beindar wedi'i chael hi . . . ,' meddai'n daglyd. Wel, wedi'r cyfan, fe allai fod yn waeth. Ond rhaid oedd ymddiheuro i'r mistar.

'Mae'n ddrwg gen i, Mr. Henderson, ond nid arna i'r oedd y bai, ar 'y ngwir rŵan—'

'Ar bwy arall? Dyma'r ail dro ichi fynd â pheiriant yn erbyn y cerrig 'ma, yntê? Bedwar mis yn ôl, y dril hadau, a 'nawr . . .' Yr oedd dyrnau mawr Henderson yn crynu wrth ei ochrau. 'Allwn ni wneud dim bellach am weddill y dydd. Na fory chwaith, mae'n siŵr. Rhaid ichi fynd â'r beindar bob cam i'r dre i weithdy Luke's. A phedair acer o haidd i'w torri eto. Ac fe ddaw i lawio fory, fe gewch chi weld. Oni bai fod dynion mor anodd 'u cael, mi allwn i'ch blingo chi'n fyw, y bynglar bach!'

'Ond rydw i wedi dweud fod yn ddrwg gen i, Mr. Henderson—'

'Pa iws ydy dweud hynny 'nawr? Mae'r niwed wedi'i wneud.'

'Wel, fyddai 'na ddim niwed oni bai am y cerrig felltith 'ma.'

'Rydw i wedi dweud hynny fy hun. Lawer gwaith.' Trodd Henderson ddau lygad bygythiol ar y cerrig uchel a chen yr oesoedd wedi cramennu ar eu hochrau hen. 'Tair carreg anferth fel hyn reit ar ganol cae deuddeg erw, y cae gorau ar y ffarm. Pwy bynnag cododd nhw yma, roedd o'n haeddu'i grogi. Mae'n rhaid iddyn nhw fynd.'

Teimlodd Gareth ryw ias oer anesboniadwy yn asgwrn ei gefn.

''U symud nhw, ydach chi'n feddwl?'

'Beth arall?' cyfarthodd Henderson. 'Er pan ddes i i'r Hendre 'ma flwyddyn yn ôl rydw i wedi gwella cryn dipyn arni'n barod. A phan fydda i wedi gorffen moderneiddio fe fydd yn edrych yn debyg i ffarm ac nid i ddarn o Connemara. Ond does yr un ffarmwr â gronyn o hunan-barch yn mynd i adael tair carreg gymaint ag eliffantod ar ganol 'i gae gorau un. Wel, mae gan Bill Henderson hunan-barch. Felly, fe fydd rhaid i'r cerrig fynd.'

'Hylô 'ma!'

Trodd y ddau eu pennau a syllu dros y pedair erw gweddill o haidd melyn ar yr henwr gwargrwm yn ymlwybro i lawr tuag atyn nhw.

'Pwy ydy hwn sy'n dod i fusnesa?' gofynnodd Henderson.

'Mae'n edrych yn debyg i William Owen Y Ddôl,' atebodd Gareth, yn falch o weld unrhyw un a allai fod yn gefn iddo.

Chwythodd Henderson drwy'i ffroenau.

'Hwnnw sy'n mynd i'r capel bob bore Sul gyda Beibil ac ambarél?'

'Ia, mae o'n ddiacon yn Beerseba ac yn athro ysgol Sul.'

'Diacon . . . Beerseba . . . ysgol Sul. *Double Dutch* i mi. Fel iaith rhyw gymdeithas gudd.'

Rowndiodd yr hynafgwr y llain o farlys a throedio'n fyr ei wynt ar ei goesau crydcymalog at y ddau.

'O, ac yma'r ydach chi,' meddai yn ei Saesneg anystwyth. 'Roeddwn i—fel y dwedodd Paul—yn clywed y llais ond heb weled neb. Y cerrig 'ma'n ych cuddio chi. Ia . . . diwrnod reit braf, Mistar Henderson.'

'Y diwrnod braf ola gawn ni am sbel, yn ôl y radio ganol dydd,' atebodd Henderson yn bigog.

'Felly. Piti garw. Ia, fydda i'n rhoi fawr o goel ar y proffwydi tywydd modern 'ma, ond *mae*'r gwynt wedi troi i dwll y glaw. Y gwynt ydy fy radio i, fel 'y nhad a

11

'nhaid o 'mlaen i. Ia, piti garw os try hi'n law rŵan, a chitha â chnwd mor drwm. Y . . . oes rhywbeth wedi mynd o'i le?'

'Os edrychwch chi,' pigodd Henderson, 'fe welwch fod y beindar wedi cael damwain.'

Edrychodd William Owen.

'Felly wir. Ia, dydy'r petha newydd 'ma ddim yn bopeth, yn nac ydyn, er mor hwylus ydyn nhw tra byddan nhw'n *mynd*.'

'Doedd dim bai o gwbwl ar y peiriant.'

Yr oedd Henderson yn dechrau cynhyrfu eto, a thybiodd Gareth y dylai daro'i big i mewn.

'Y fi ddaru, William Owen. Cadw ormod i'r dde a throi'n rhy gwta, ac mi dorrwyd un aden a chracio un arall—'

'Yn erbyn y cerrig 'ma?'

'Ia.'

Nodiodd William Owen ei ben yn ddoeth.

'Felly wir. Hmm.'

Trodd Henderson arno.

'Wyddoch chi rywbeth o hanes y cerrig 'ma, Owen?'

Cododd William Owen ei ben ac edrych yn syth i lygaid y Sais.

'Ŵyr neb, Mistar Henderson. Ŵyr neb.'

'Rhyfedd braidd. Yntê?'

'O na, dydy o ddim yn rhyfedd o gwbwl. Ydach chi'n gweld, maen nhw mor arswydus o hen.'

'Hen? Pa mor hen?'

'Rydw i newydd ddweud. Arswydus o hen. Ŵyr neb pa mor hen.'

Clensiodd Henderson ei ddannedd. Dyn na fynnai mo'i drechu.

'Ond beth ydyn nhw 'te? Mae'n siŵr y medrwch chi ddweud hynny?'

'Cromlech, Mistar Henderson.'

Crychodd Henderson ei dalcen.

'Crom beth?'

'Cromlech. Peidiwch â gofyn i mi beth ydy hynny, achos wn i ddim. Gofynnwch i Benni Rees, Sychbant. Mae o'n ddarllenwr mawr ac yn gwybod tipyn am bopeth.'

'Ond mae'n rhaid 'u bod nhw'n dda i rywbeth.'

'Dydyn nhw'n dda i ddim i *chi*, mae'n amlwg.'

'Yn hollol. Dyna pam rydw i'n mynd i'w symud nhw.'

Gwthiodd William Owen ei het yn ôl ar ei gorun, a rhywbeth tebyg i fraw yn ei lygaid.

'Be ddwedsoch chi? 'U symud nhw?'

'Pam?' arthiodd Henderson. 'Oes rhywbeth yn od yn hynny?'

'Wel, na-ac oes, am wn i. O feddwl am y peth, fedra i ddim gweld *pam* y mae o'n beth od 'u symud nhw. Ac eto i gyd . . .'

'Wel?'

'Wel, maen nhw yma . . . wedi *bod* yma . . . diar annwyl, ers cyn co . . . Cerrig Mawr yr Hendre. Maen nhw i'w gweld o bob cwr o'r ardal, wn i ddim wyddech chi hynny—'

'Mi wyddwn i,' torrodd Gareth i mewn. 'Rydw i wedi'u gweld nhw fy hun o ben Moel Eisin ac o eglwys Pabo Fach, ac mae 'na bedair milltir rhwng y ddau le.

Ac rydw i wedi bod allan ar y môr efo Wil Caint yn dal mecryll, ac maen nhw i'w gweld filltiroedd allan yn y bae.'

'Rwyt ti wedi f'atgoffa i, Gareth.' Cododd yr hen ŵr ei law. 'Mi glywais 'nhad yn dweud y bydda'r hen longwyr yn cymryd Cerrig Mawr yr Hendre'n rhyw fath o landmarc. Pan fydda haul canol dydd yn taro arnyn nhw o'r De mi fydden yn sgleinio fel gema—'

'Olreit, olreit!' Gwingodd Henderson yn ddiamynedd. 'Dyna ni wedi cael tipyn o ffeithiau diddorol am "Gerrig Mawr yr Hendre." *So what?* Yr unig ffaith o bwys i mi ydy 'u bod nhw'n costio punnoedd i mi mewn trwsio peiriannau. Ac mae'n rhaid iddyn nhw fynd.'

Gwyrodd William Owen ei ben yn llesg.

'Ia siŵr. Mynd y mae'r hen betha i gyd o un i un o flaen y peiriant mawr modern.'

'Wel?' herfeiddiol gan Henderson. 'Synnwyr cyffredin ydy hynny, yntê?'

'Mae 'na ormod o betha'n cael 'u haberthu i synnwyr cyffredin, os gofynnwch chi i mi.' Ochneidiodd William Owen. 'Ond chymerwn i mo'r byd â dadla efo chi, Mistar Henderson. Chi ŵyr ych meddwl. Rydach chi wedi gweld cymaint mwy ar yr hen fyd 'ma na fi, a dydy be wnewch *chi* efo'ch tir yn ddim o 'musnes *i*.' Tawodd am eiliad neu ddau, ac yna dweud, 'Ond *mae* 'na un peth, hefyd, y dylwn i sôn amdano, rydw i'n credu.'

'A beth ydy hwnnw, tybed?' meddai Henderson yn sychlyd.

Cododd William Owen ei lygaid at y meini.

'Wn i ddim ydach chi wedi sylwi. Dydy'r cerrig 'ma i gyd ddim yr un faint.'

Trodd Gareth yntau i edrych. Edrychodd o'r naill faen i'r llall.

'Nac ydyn, wir,' meddai toc, a gosod ei law ar un ohonyn nhw. 'Mae'r garreg yma'n feinach o dipyn na'r ddwy arall. Fel petai darn ohoni wedi disgyn rywdro.'

Nodiodd William Owen yn foddhaus.

'Rwyt ti'n graff, Gareth, wyt wir. *Mae* darn o'r garreg yna wedi mynd. Ond nid disgyn ddaru o.'

'Beth 'te?'

'Cael 'i hollti wnaeth y garreg. Roedd 'y nhaid yn cofio'r amser.'

'Ond i ble'r aeth y darn arall ohoni?' Roedd Gareth yn ddiddordeb byw erbyn hyn.

Trodd yr hen ŵr a phwyntio tua'r llidiart yng ngwaelod y cae.

'Welwch chi'r giât acw?'

'Mae hi'n ddigon hawdd 'i gweld,' prepiodd Henderson, yn amlwg wedi cael digon ar y dwli.

'Os felly,' meddai William Owen, 'mi welwch y ddau bost llidiart. Pren ydy un, fel y gwelwch chi. Ond carreg ydy'r llall.'

'Wel?' gan Henderson.

Trodd William Owen ato.

'Y post carreg ydy'r darn holltwyd o'r garreg yma.'

Edrychodd Gareth ar y maen wrth ei ymyl, yna ar y post llidiart draw, ac yna ar y maen drachefn.

'Wel, wrth gwrs . . .' meddai. 'Mae o tua'r un lled—'

'Pwy wnaeth hynny?' gofynnodd Henderson, yn dechrau cymryd diddordeb eto.

Crafodd William Owen ei dalcen.

'Rhyw hen frawd oedd yn byw yn yr Hendre 'ma, o'r enw Siôn Powel. A dyna pam roeddwn i'n sôn am y peth. Mi . . . ddigwyddodd rhywbeth . . . rhyfedd.'

'Rhyfedd?'

'Do. Cyn gynted ag y gosododd o'r garreg acw yn 'i lle, mi ddisgynnodd yn farw wrth 'i throed hi.'

'Sobrwydd mawr!' sibrydodd Gareth, ei wyneb yn gwelwi eto.

Ond codi'i ysgwyddau wnaeth Henderson.

''I galon o, mae'n debyg. Wedi symud gormod o bwysau.'

'Posibl, Mistar Henderson. Posibl.'

'Wel, dydych chi rioed yn awgrymu fod 'na gysylltiad *arall* rhwng symud y garreg a'i farwolaeth o, ydych chi?'

'Dydw *i*'n awgrymu dim, Mistar Henderson. Mae gen i feddwl agored ar y mater. Ond roedd yr hen bobol yn arfer dweud . . . wel . . . na ddyla fo ddim bod wedi ymyrryd â cherrig Mawr yr Hendre.' Tynnodd William Owen ei het ymlaen dros ei dalcen. 'Wel, rhaid i mi'i throi hi. Rydw i wedi mynd â gormod o'ch amser chi'n barod. Ddrwg gen i am y peiriant, Mistar Henderson. Mi fydda'n resyn i'r haidd neis 'ma gael glaw cyn 'i dorri. Mae o'n bur aeddfed, yn tydi? Pnawn da ichi'ch dau.'

A herciodd William Owen ar ei goesau anystwyth dros y sofl melyn rhwng y rhesi ysgubau i lawr tua'r llidiart.

Chwythodd Henderson drwy'i ffroenau eto.

'Yr hen drwyn busneslyd! Y fo a'i Feibil a'i ambarél a'i feddwl agored, bach!' Ac yna, fel dyn wedi llwyr benderfynu: 'Fe gaiff Thomas y Contractor ddechrau symud y cerrig 'ma'r wythnos nesa.'

Unwaith eto, fe deimlodd Gareth yr ias anghynnes yn ei feingefn.

'Rydach chi . . .' dechreuodd yn betrus. 'Rydach chi *am* 'u symud nhw, Mr. Henderson? Er bod . . .'

'Er bod beth?'

'Dydy o ddim o bwys.'

Dechreuodd Henderson rygnu chwerthin yn ei wddw.

'Ydy'r hen begor gwenwynllyd 'na wedi'ch dychryn chi? Gwrandewch, Gareth, 'y machgen i. Rydach chi'n gweithio i ddyn modern o'r enw Henderson. 'Nawr, ffwrdd â chi â'r beindar 'ma i'r dre i'w drwsio. Mi a' innau i gael gair â Thomas. A chofiwch. Does gen *i* ddim amser i hen ofergoelion dwl. Carreg ydy carreg. Dyna i gyd. Dim ond carreg.'

Bwriodd Henderson un olwg heriol arall ar y tri maen cadarn ar gwr yr haidd cyn cychwyn, yn berwi gan benderfyniad, tua'i dŷ.

2

Lai na chwarter milltir o'r cae haidd yr oedd ffermdy'r Hendre, â'i goed o'i gwmpas, yn pefrio'n wyngalchog yn haul y prynhawn. Darn o heddwch gwledig heb ddim i dorri ar y tawelwch gwyrdd o'i gylch ond bref dafad neu bill gan fwyalchen o'r ynn. Lle, fe ellid tybio, na allai dim darfu ar ei dangnefedd na styrbio'i lonyddwch byth. Hafan i unrhyw enaid trafferthus.

Yn y gadair siglo yn y gegin, yn sipian cwpanaid dda o de, yr oedd Jean Henderson. Roedd hi'n ddel, ac yn ddioglyd. Yn gorfod bod, am fod ynddi gorff bach newydd yn disgwyl ei awr i frwydro'i ffordd drwy borth y bywyd.

Cwpanaid dda oedd hon. Fel pob un a wneid gan Gwen Jones garedig. Roedd honno'n pitran patran yn awr rhwng y gegin a'r tŷ golchi, yn drafferthus, fel arfer, ynghylch llawer o bethau. Fel cymdoges roedd hi'n werth ei phwysau mewn aur. Petai hi'n peidio â siarad *cweit* cymaint . . .

'Cwpanaid arall, Mrs. Henderson?'

'Dim diolch, Mrs. Jones. Roedd honna'n dda ofnadwy. Edrychwch, os ydych chi am fynd, peidiwch â phoeni am y llestri. Mi olcha i nhw fy hun.'

'Wnewch chi ddim byd o'r fath.' Dyna Gwen Jones yn llyfnhau'i brat gwynnach na gwyn, a'i phen dan ei gnwd gwallt brith ar osgo rhybuddiol. 'Rydach chi'n gwneud llawer gormod fel mae hi, 'ngeneth i, a chitha yn y cyflwr yna.'

Rhoddodd Jean chwerthiniad bach diofal.

'Rydych chi'n siarad fel petawn i'n wael,' meddai. 'Dim ond disgwyl babi yr ydw i, a fûm i ddim yn teimlo'n well yn 'y mywyd.'

'Arwydd ichi gymryd gofal.' Cododd Gwen Jones fys 'gwrandewch-chi-arna-i', ac eistedd ar y setl dderw gyferbyn. 'Rydw i wedi cael saith fy hun, mi ddylwn i wybod. Mi ddisgwylia i nes daw Mr. Henderson a

18

chael 'i de ac wedyn mi olcha i'r llestri . . . Os nad ydw i'n ych blino chi?'

'Dim o gwbwl.' Beth arall ellid ei ddweud wrth un mor garedig? 'A dweud y gwir, rydw i'n ddigon balch o gael cwmni.' Roedd hynny'n ddiffuant, beth bynnag. Ochneidiodd Jean Henderson wedyn. 'Mae arna i ofn 'mod i'n cael ffarmio'n fywyd go unig ar ôl gwaith offis yn Gloucester. Mi liciwn i petai Bill heb ddod i le mor ddiarffordd â hwn. O, peidiwch â 'nghamddeall i, Mrs. Jones . . .' Roedd gan un o'r fro ei theimladau, wrth gwrs. 'Rydych chi a rhai o'r cymdogion eraill wedi bod yn garedig tu hwnt. Does gen i ddim cwyn felly o gwbwl.'

Nodiodd Gwen Jones ei phen.

'Rydw i'n deall.'

Oedd, wrth gwrs.

'Ond mae Mr. Henderson wrth 'i fodd yma,' meddai Gwen Jones wedyn.

Ochenaid fach arall gan Jean.

'Felly mae o'n dweud. Mae *o*'n mwynhau anawster-au, wyddoch chi. Rydw i'n meddwl mai dyna un rheswm pam y daeth o yma. Eisiau tir go wyllt a thipyn o waith trin arno. Wel, fe'i cafodd o.'

Edrychodd Gwen Jones drwy'r ffenest ar y llech-wedd glas lle bu eithin a rhedyn gynt.

'Ydy,' meddai, 'mae'r Hendre 'ma dipyn mwy modern nag oedd hi flwyddyn yn ôl. A chyn bo hir, wrth gwrs, mi fydd gan Mr. Henderson fab i'w helpu o. E?' Gan wenu'n ddoeth.

'Rydw i'n gobeithio'r nefoedd mai mab fydd o,' meddai Jean, 'neu dyn a'n helpo i. Mae'n rhaid iddo

fod yn fab, medda fo. "Rhaid" ydy gair mawr Bill.
Weithiau mi liciwn iddo fod dipyn yn fwy gofalus, a
mwy goddefgar. Wn i ddim beth mae'r cymdogion yn
'i feddwl ohono.'

Rhyw edrych i lawr wnaeth Gwen Jones.

'Maen nhw'n 'i barchu o, Mrs. Henderson.'

Roedd Jean wedi synhwyro petruster ei chymdoges.

''I barchu o,' meddai. 'Peth digon oer ydy parch
hefyd, yntê.'

Cyfarthodd un o'r cŵn allan ar y buarth. Cododd
Gwen Jones.

'Dyma fo ar y gair,' meddai. 'Mi ro i'r tecell i ferwi i
wneud cwpanaid ffres.'

Ond yn lle sŵn cadarn esgidiau Henderson ar y
palmant y tu allan a'r drws yn agor fel arfer, dyna
rywun yn curo. Tair cnoc, ac yna dair arall.

'Rhywun diarth sy 'na,' meddai Jean.

Aeth Gwen Jones i agor.

'O, Doctor . . . chi sy 'ma?'

'Pnawn da, Mrs. Jones. Ydy Mrs. Henderson yma?'

Daeth Dr. Hughes i'r golwg rownd y setl dderw, a
sefyll ar ganol y llawr, ei fag yn ei law, ac edrych ar
Jean. Teimlodd hi'i chalon yn cyflymu.

'Doctor . . . oes rhywbeth yn bod?'

Yr oedd wyneb creigiog y meddyg yn ddifrifol. Ond
yna fe ymlidiwyd y difrifoldeb oddi arno gan wên araf.

'Pam, Mrs. Henderson? Ydy'r nerfau braidd yn frau
y dyddiau yma? Wel, mae hynny'n naturiol. Na, does
dim byd yn bod. O leia, fe obeithiwn ni hynny, yntê.
Digwydd pasio o'r Hafod roeddwn i . . . un o'r plant

20

yno dan y frech goch ... a meddwl y galwn i i'ch gweld chi.'

Anadlodd Jean ryddhad.

'Wir, Doctor, rydych chi'n garedig iawn, ond dydw i ddim yn credu bod angen—'

'Pwy ŵyr, yntê?' Daeth y difrifoldeb yn ôl i'r wyneb creigiog. 'Fel y dwedais i droeon, fe fyddai'n dda gen i petaech chi'n mynd i'r clinic rŵan ac yn y man i gael pob gofal. Mae'r Hendre 'ma'n bur bell a finnau'n ddyn prysur. Gawn ni fynd drwodd i'r parlwr imi gael golwg arnoch chi?'

'Wrth gwrs.'

Cododd Jean o'i nyth cynnes yng nghlustog y gadair siglo.

'Mrs. Jones, wnewch chi ofalu—?'

Cododd Gwen Jones ei dwylo'n famol.

'Os daw'ch gŵr, mi wna i de iddo. Cerwch chi rŵan efo'r Doctor, a pheidiwch â phoeni, dyna ferch dda.'

Cyn gynted ag y caeodd y drws ar ôl Mrs. Henderson a'r meddyg fe dorchodd Gwen Jones lewys ei siwmper ac ymosod ar waith. O leia, fe ddychmygodd *fod* yno waith. Dyma ddwy gwpan a dwy soser a dau blât i'w golchi, beth bynnag. Braf oedd cael newid cegin. Oedd, roedd y dŵr yn chwilboeth yn y tap. Roedd rhaid dweud un peth am Henderson; roedd y *mod cons*, chwedl yntau, i gyd yn gweithio fel wats. P'un ai gofal am ei wraig oedd yn cyfri am hynny, neu ynte chwant meistrolgar am foderneiddio popeth o fewn cyrraedd, fedrai Gwen Jones ddim dweud. Ond ffaith oedd ffaith: doedd dim cegin hwylusach na gloywach na hon mewn unrhyw ffarm yn yr ardal. Pob clod i'r dyn am hynny, pa wendidau bynnag oedd ynddo.

Tywalltodd Gwen Jones ddiferyn o ddŵr i'r tecell trydan a'i roi i ail ferwi. Oedd, roedd newid sinc cystal â gwyliau, medden nhw. Nid dyna pam y byddai hi'n dod yma mor amal, wrth gwrs. Fuasai hi byth yn cerdded tai ac yn esgeuluso'i chegin a'i phlant ei hun. Roedd yna ferched felly, rhad arnyn nhw. Ond roedd ei chegin hi yn Wern Olau cyn laned a thwtied ag y gallai cegin hen ffasiwn drafferthus fod: croeso i unrhyw inspector sanitari lygadrythu ar bob twll a chornel ohoni drwy chwyddwydr. Ac roedd y plant yn raenus ac yn ddiddig, a Morfudd a Bethan yn ddigon hen i edrych ar ôl y rhai bach am awr neu ddwy ac wrth eu bodd yn gwneud.

Na, cymdogaeth dda oedd yn ei gyrru hi yma bob prynhawn am awr neu ddwy cyn godro. O leia, roedd hi'n gobeithio hynny. Rhyw biti dros Mrs. Henderson, y greadures fach, mor unig ac anfoddog rywsut mewn gwlad ddiarth fel hon. Roedd bai arni, meddai rhai, na fyddai hi'n gwneud ymdrech i gartrefu, i drio deall yr ardal a'r bobol a dod yn un ohonyn nhw. Wel, roedd ar ambell un angen help i drio. Petai Henderson dipyn mwy poblogaidd, hwyrach y byddai rhai o'r gwragedd yn closio at ei wraig . . .

Dyna sŵn ei draed o rŵan. A'r tecell yn berwi, diolch byth. Nid dyn i'w gadw i ddisgwyl am ei ginio na'i de nac am ddim arall oedd Henderson.

Agorodd y drws.

'O, Mr. Henderson, ddaethoch chi?'

'Mae'n edrych yn debyg, on'd ydy?'

22

Edrychodd Gwen Jones arno o gil ei llygad. Beth oedd wedi'i bigo heddiw, tybed?

'Wel ia,' meddai hi, 'rhyw ffordd o siarad sy gynnon ni—'

'Ble mae Jean?'

'Drwodd yn y parlwr. Mae'r Doctor newydd alw.'

Trodd Henderson yn sydyn.

'Pam? Oes rhywbeth o'i le?'

'O nac oes, neno'r diar. Dim ond *check-up*, fel y byddan nhw'n deud.'

'O. Felly.'

'Rydw i'n gwneud te ichi rŵan.'

'Mae arna i eisiau galw rhywun ar y ffôn yn gynta.'

'Wnaiff o ddim aros tan ar ôl te? Rydach chi'n siŵr o fod yn sychedig ar ôl pnawn hir yn yr haidd—'

'Beth wyddoch chi, Mrs. Jones, pa mor bwysig ydy fy neges i?'

I Gwen Jones, roedd hyn yn brifo. Oedd rhaid i'r dyn fod mor sarrug? A hithau'n gwneud ei gorau i ddod â thipyn o gysur i fywyd ei wraig fach unig?

'Sorri, Mr. Henderson.'

Heb ateb, aeth Henderson drwodd ar ei union i'r cyntedd gan gau'r drws yn dynn ar ei ôl.

Cododd y teliffon, a deialu. Bu'r peth yn canu'n hir. Siŵr bod y cnaf Thomas 'na ar drot yn rhywle. Dyna'r hanes oedd iddo, beth bynnag.

Ond yn wir, dyma ateb. A syndod y byd, llais Thomas ei hunan.

'Thomas y Contractor?'

'Yn siarad.'

'Henderson yr Hendre yma.'

'O, Mr. Henderson! Sut hwyl sy arnoch chi?'

'Busnes yn gynta, Thomas.'

'Wrth gwrs . . .'

'Wyddoch chi'r tair carreg fawr 'na sy ar un o gaeau'r Hendre, yn wynebu'r môr?'

'Cerrig Mawr yr Hendre?'

Clensiodd Henderson ei ddannedd.

'Mae'n ymddangos mai dyna'r enw lleol arnyn nhw.'

'Beth amdanyn nhw, Mr. Henderson?'

'Rydw i am ichi 'u symud nhw imi.'

Tawelwch llethol. Yna, fel petai'n siarad o'r tu hwnt i'r Pasiffig dyma lais Thomas eto, yn gryglyd syn:

''U *symud* nhw?'

Berwodd Henderson.

'Edrychwch yma! Bob tro rydw i'n sôn am y peth mae rhywun yn dweud, '''U *symud* nhw?'' fel petawn i'n mynd i chwythu banc y pentre. Ond alla i ddim gadael i'r pethau hyll sefyll fel moniwment ar ganol 'y nghae gorau i—'

'Nid moniwment o ryw fath ydyn nhw?'

'Mae'n bosibl iawn, petai hynny o unrhyw bwys. Ond mae dau o 'mheiriannau i wedi cael damwain yn 'u herbyn nhw, ac rydw i wedi penderfynu y byddai'n rhatach i mi symud y cerrig na thrwsio 'mheiriannau o hyd.'

Tawelwch eto. Yna:

'Fedrwch chi mo'u symud nhw'ch hun, Mr. Henderson?'

Beth gynllwyn oedd yn bod ar y dyn?

'Dydych chi 'rioed yn gwrthod job, Thomas?'

'Dydy o mo'r math o beth rydan ni'n 'i wneud, wyddoch.'

'Ond fe fuoch chi'n symud rhyw gerrig Eisteddfod, on' do, tua dwy flynedd yn ôl?'

'Roedd hynny'n wahanol.'

'Ym mha ffordd?'

'Wel . . . fedra i ddim mynd i fanylion busnes . . .'

'Clywch, Thomas. Os pryderu am dâl rydych chi, does arna i ddim ofn talu am job iawn—'

'O, dydw i ddim yn amau hynny. A dydw i ddim yn hoffi'ch gwrthod chi, Mr. Henderson, wedi ichi roi cymaint o waith imi yn yr Hendre acw. Ond . . .'

'Ond *beth*, ddyn?'

'Wel . . . sut y dweda i wrthoch chi? Wel, rhowch o fel hyn. Mae pobol yn mynd i siarad.'

Petai'r Contractor o fewn hyd braich fe fyddai Henderson wedi'i daro â'r teliffon.

'Synnwn i ddim na fydd pobol yn siarad,' meddai drwy'i ddannedd. 'Mae'n ymddangos i mi 'u bod nhw'n brin ryfeddol o rywbeth gwerth siarad amdano yn yr ardal yma. Cyn belled ag yr ydw i yn y cwestiwn, fodd bynnag, fe gân siarad nes bod 'u tafodau nhw'n dwll.'

'Ond mae'r Cerrig Mawr yn rhan o'r olygfa,' meddai'r Contractor.

Wnaeth y ddadl honno ddim llawer o argraff ar Henderson.

'Nid trin golygfa yr ydw i, ond trin ffarm. O'r gorau, Thomas, os na chymerwch chi'r job fe chwilia i am rywun arall. Nid yn unig i symud y cerrig, ond i wneud gweddill yr adeiladau 'ma.'

'Hanner munud, Mr. Henderson. Mi . . . mi ddo i i fyny i gael golwg ar y petha,' meddai Thomas. 'Pnawn Sadwrn?'

Cilwenodd Henderson wrtho'i hun.

'Mi fydda i'n ych disgwyl chi. Dydd da i chi, Thomas.'

Trawodd y ffôn yn ei grud. Dyna wneud y tric. Doedd dim llawer o ffeit mewn Cymro os oedd yn debyg o golli ceiniog. Dyna'r lle i'w taro nhw: reit yn eu pocedi. Doedd Thomas ddim yn wahanol i'r lleill. Ond y fo a'i 'bobol yn siarad'! Yr hen wlanen! Nid y tai a'r ffermydd oedd eisiau'u moderneiddio yn yr ardal yma, ond y bobol.

Dyna ddrws y parlwr yn agor, a Jean a'r meddyg yn dod allan.

'A, Mr. Henderson!'

'Prynhawn da, Doctor. Does dim byd mawr o'i le ar 'y ngwraig i, gobeithio?'

'O, nac oes. Nac oes, neno'r diar.' Trodd y meddyg at Jean. 'Y . . . ewch chi i'r gegin, Mrs. Henderson, imi gael gair bach efo'ch gŵr?'

Cododd Jean ei haeliau golygus.

'Mae hynna'n swnio fel *petai* rhywbeth o'i le arna i, Doctor. Rhywbeth . . . nad ydw i ddim i fod i'w glywed.'

'Mrs. Henderson.' Edrychodd y meddyg arni'n broffesiynol iawn. 'Does gen i ddim byd gwahanol i'w ddweud wrth ych gŵr i'r hyn ddwedais i wrthoch chi gynnau. Dim byd o gwbwl. Dim ond 'mod i'n hoffi siarad yn breifat. A dydy sgwrs ddim mor breifat rhwng tri ag ydy hi rhwng dau. Cytuno?'

Gwenodd ei wên araf gysurlon arni.

Cododd hithau'i hysgwyddau, a gwenu'n ôl.

'Cytuno,' meddai. Ac i'r gegin â hi.

'Wel?' gofynnodd Henderson cyn gynted ag y caeodd y drws ar ei hôl.

Oedd yna gysgod ochenaid yn llais y meddyg?

'Fel y dwedais i, Mr. Henderson, does dim o'i le ar ych gwraig. Ar hyn o bryd. Ond mae'n rhaid iddi gymryd pob gofal yr wythnosau nesa 'ma. Peidio gweithio ond y dim lleia. Gorffwys digon. Digon o fwyd.'

'Mae hi'n cael hynny'n barod. Digon o fwyd a digon o orffwys. Ydych chi'n meddwl mai rhyw lob dideimlad ydw i, yn gweithio 'ngwraig i farwolaeth—?'

'Na, na, dim o gwbwl—'

'Clywch, Doctor.' Plethodd Henderson ei freichiau o'i flaen. 'Rydw i'n awyddus i bopeth fod yn iawn. Mae hynny'n bwysig i mi. Yn bwysicach nag i neb arall. Bod gen i fab i gymryd cymaint o ddiddordeb yn yr Hendre 'ma â fi fy hunan.'

Edrychodd Dr. Hughes arno'n sydyn.

'Fe allwch chi gael ych siomi.'

'Dydw i byth yn cael fy siomi. Rydw i'n gofalu am Jean fel mam am 'i phlentyn. Fe gewch chi ddweud, os mynnwch chi, mai offeryn ydy hi i gynhyrchu etifedd i mi. Ond os ydy hi'n cael yr un gofal drwy hynny—'

'Rydw i . . . wedi dweud y cwbwl sy gen i i'w ddweud,' meddai Dr. Hughes, gan godi'i fag a chychwyn tua'r drws. Trodd, a'i law ar y gliced. 'Dim ond cadw llygad ar ych gwraig, dyna'r cwbwl rydw i'n 'i ofyn. Dydy hi ddim cyn gryfed â llawer o wragedd. Da boch chi.'

Gwyliodd Henderson y drws yn cau ar ôl y meddyg.

'Da boch chi, Doctor,' meddai'n goeglyd wrtho'i hun. 'A diolch ichi am roi'r fath dawelwch meddwl imi. Fel pe gallai unrhyw beth fynd o'i le!'

Allan ar y buarth fe drodd Dr. Hughes ac edrych yn ôl tua'r tŷ. Y tŷ hir gwyngalchog a fu'n lle mor ddifyr gynt; un o'r lleoedd y byddai meddyg teulu'n mwynhau galw ynddyn nhw. Roedd pethau wedi newid, yn siŵr ddigon. Y dyn Henderson yna. Yn hawlio mab o groth ei wraig fel petai'n arglwydd bywyd. Ond doedd dyn fel yna ddim yn cael ei ffordd ei hun gyda phopeth chwaith. O, nac oedd. 'Offeryn i gynhyrchu etifedd i mi.' Fe awgrymodd hynny am ei wraig, on' do? Wel, roedd o'n ddigon onest i awgrymu peth mor haerllug, o leiaf. Ond haerllug oedd y gair. Haerllug.

Taflodd y meddyg un cipolwg arall amheus ar ffenestri'r Hendre cyn brysio i lawr tua'r ffordd.

3

Roedd hi'n noson dywyll ond claear braf, a Philips y milfeddyg ifanc yn gyrru'i garfen i fyny'r lôn gul, droellog tuag un o'r ffermydd ym mhen ucha'r cwm. Yn sydyn, wedi troi Tro'r Gelli, fe welodd yng ngolau'i lampau ŵr talsyth yn ei throedio hi'n bwyllog ond yn bras ei gam i'r un cyfeiriad ag yntau.

'Benni Rees, Sychbant, os nad ydw i'n methu'n arw,' meddai wrtho'i hun. 'Mi gaiff y pegor diddorol yma lifft.'

Stopiodd y car gyferbyn â'r cerddwr.

'Gymerwch chi bás, Mr. Rees?'

Trodd y cerddwr a chraffu i mewn i'r garfen.

'Pwy sy 'ma?' meddai'r llais dwfn cyfoethog. 'Ho, Philips y ffariar, mi wela. Wel, wna i ddim gwrthod. Mae'r ffordd ymhell i Sychbant. Diolch.'

Camodd y gŵr tal i'r cerbyd, a rhoi rhyw ddau dro neu dri go winglyd cyn penderfynu'i fod yn gyfforddus o'r diwedd yn ei sedd. Anaml y gwelid Benni Rees mewn car. Gŵr traed oedd hwn, yn anad neb.

Daliodd Philips ar y cyfle i roi tân ar ei bibell, ac wedi cael honno i fygu'n iawn, dyma gychwyn.

'Wel,' meddai, 'nid yn amal y bydda i'n cael y fraint o gario'r enseiclopidia lleol.'

Anwybyddodd Benni Rees y compliment hwnnw, dim ond gofyn,

'Ydy anifeiliaid yr ardal i gyd yn iach?'

Rhoi rhyw bwff o chwerthin cwta wnaeth Philips.

'Mi fydda'n rhaid i ffariar fod yn hollwybodol i ateb hwnna, mae arna i ofn. Wel, na, dydyn nhw i gyd ddim yn iach. Ar fy ffordd i'r Fron yr ydw i rŵan.'

Ni thynnodd Benni Rees mo'i lygaid oddi ar y ffordd wibiog o'i flaen.

'Mi glywais ych bod chi'n amau clwy'r traed a'r genau yno.'

'Does dim llawer yn dianc rhag ych clustiau chi, nac oes, Mr. Rees? Na, dydy'r clwy ddim yn y Fron. Mi anfonais i sbesimen i'r lab, ond roedd o'n negatif. Drwy drugaredd. Ond fedrwn ni ddim bod yn rhy ofalus, yn enwedig ar ôl yr owtbrec newydd 'na eto yn Lloegar. Os arhosith yr aflwydd yr ochor draw i Glawdd Offa mi gysga i dipyn tawelach. Does dim ffôn yn Y Fron, a rhag i'r hen Edward drafferthu dod i lawr i'r pentre rydw i jest yn picio i fyny i roi'r newydd da iddo.'

'Tipyn o ryddhad i chitha hefyd.'

'Wel, does neb yn mwynhau saethu'r creaduriaid 'ma, wyddoch. Hen fusnes digon diflas, a dweud y gwir. Rydach chitha'n troi adre'n o hwyr hefyd, os ca i ddweud hynny.'

'Thomas y Contractor bachodd fi pan oeddwn i ar gychwyn o'r pentre,' meddai Benni Rees. 'Mi wnaeth imi fynd i'r tŷ. Isio gwybodaeth am Gerrig Mawr yr Hendre.'

'Diar mi. Mae Thomas yn dechra cymryd diddordeb mewn petha rhyfedd.'

Am y tro cynta fe drodd Benni Rees yn ei sedd.

'Philips. Rydach chi'n dipyn o gyfaill i Henderson yr Hendre.'

'Rydan ni wedi yfed ambell beint efo'n gilydd. Pam?'

'Wyddoch chi 'i fod o ar fin gwneud galanas yn yr ardal 'ma?'

'Bobol annwyl, na wyddwn i!'

'Ydy. Mae'r creadur anghyfrifol yn mynd i ddinistrio crair gwerthfawr sy wedi sefyll am dair mil o flynyddoedd.'

Bu agos i Philips daro'r clawdd.

'Tair mil!'

'O leia hynny. Tair mil a hanner, efallai.'

Sugnodd Philips yn galed ar ei bibell, ond roedd honno wedi diffodd.

'Sôn am y Cerrig Mawr yr ydach chi,' meddai braidd yn gignoeth. 'Wel, mae tair mil o flynyddoedd yn bell iawn yn ôl. Go brin fod dim byd mor hen â hynny yn werth 'i gadw. Wedi'r cwbwl, yn yr ugeinfed ganrif yr ydan ni'n byw, ac mae'n rhaid inni symud efo'r oes, wyddoch.'

'Symud efo pa oes, gyfaill?' Roedd llais gŵr Sychbant yn mynd yn ddyfnach a chyfoethocach o hyd. 'Ydach chi'n meddwl mai'n tipyn ugeinfed ganrif ni ydy'r safon i bopeth sy o bwys ac o werth ar y ddaear 'ma?'

Caeodd Philips ei ddannedd yn dynnach am goes y cetyn a fu mor ddi-help â diffodd ar ganol trafodaeth mor ddyrys.

'Wel, p'un bynnag, Mr. Rees, dydw i ddim yn credu y bydda Henderson yn gwneud dim heb fod rheswm da drosto.'

'Mae'ch cyfaill Henderson, Philips, yn perthyn i hiliogaeth druenus.'

'O?'

'Mae 'na amryw ohonyn nhw wedi dod i'r ardal 'ma er diwedd y rhyfel.' Gwthiodd Benni Rees ei goesau hirion cyn belled ag yr aen nhw dan y silff flaen. 'Rydach chi'n 'u nabod nhw. Pobol ydyn nhw sy'n byw mewn pelen wydr. Pelen sy'n powlio o le i le, wedi powlio o ryw dre ddi-liw a di-siâp yn Lloegar 'na, i bowlio'n ôl yno, efalla, ryw ddydd. Wyddon nhw ddim beth ydy sefyll, ac ymlonyddu, mewn un goleuni sefydlog. Mae'u goleuni nhw'n newid, 'u golygfa nhw'n newid, allan nhw ddim byw heb newid, dyna pam mae'n rhaid i'r belen ddal i rowlio. Ond mi ddweda i gymaint â hyn wrthoch chi, Philips.' Trodd lygad bygythiol ar y gyrrwr. 'Mae pelen fach wydr ych cyfaill Henderson yn mynd i falu'n dipia yn erbyn Cerrig Mawr yr Hendre.'

'O rŵan, rŵan, twt, rydach chi'n gwneud môr a mynydd o beth bach—'

'Môr a mynydd.' Ochneidiodd Benni Rees. 'Yn ysgafn iawn yr ydach chi'n defnyddio'r idiom. Aros mae'r mynyddoedd mawr. Aros. Ac aros mae presenoldeb y bobol oedd yn medru cymuno â môr a mynydd mewn ffordd na fedrwn ni.'

'Bobol annwyl, be 'dach chi'n feddwl?'

'Tua thair mil a hanner o flynyddoedd yn ôl, Philips, fe ddaeth dyrnaid o bobol i'r ardal 'ma. Pobol fyrion, dywyll o bryd a gwedd, gyhyrog. Am ba sawl cenhedlaeth y buon nhw yma, wyddon ni ddim. Wyddon ni ddim byd am 'u gwisg nhw, 'u harferion nhw, 'u hiaith nhw—os oedd ganddyn nhw iaith. Ond fe wyddon ni ble cawson nhw'u claddu.'

'O? Ble, felly?'

'Dan Gerrig Mawr yr Hendre.'

Yn ei syndod fe drodd Philips ei ben, a'i droi'n ôl ddim ond mewn pryd i osgoi'r tro nesaf yn y ffordd.

'Dan Gerrig Mawr yr Hendre y claddwyd nhw,' ailadroddodd Benni Rees er mwyn hoelio'r gwirionedd. 'Agos i bymtheg cant o flynyddoedd cyn Crist. Ydy hynny ddim yn codi arswyd arnoch chi?'

'Wel, na, fedra i ddim dweud 'i fod o'n golygu llawer imi . . . Gwrandewch. Ai dweud yr ydach chi fod Henderson yn gwneud peth anweddus wrth symud mynwent?'

'Nid anweddus. Peryglus.' Roedd llais dwfn Benni Rees wedi codi wythawd o leia. 'Wyddoch chi be ddigwyddodd i'r dyn diwetha symudodd ddarn o un o'r cerrig?'

'Mi ddisgynnodd y garreg ar fawd 'i droed o, mae'n debyg—'

'Nid mor rhyfygus, gyfaill.' Roedd rhew yn y llais. 'Mi ddisgynnodd Siôn Powel yn farw wrth 'i throed *hi*.'

Tynnodd Philips ei bibell ddi-help o'i geg a'i gwthio'n ffwr-bwt i'w boced.

'Mr. Rees.' Fe ddwedai yntau wirionedd neu ddau. 'Ffariar ydw i. Gwyddonol oedd fy addysg i. Rŵan, mi wn i'ch bod chi wedi studio llawer ar hen lyfra dewiniaeth a phetha felly, ond fedrwch chi ddim disgwyl i *mi* gredu fod 'na ryw alluoedd cyfrin, maleisus yn cerdded yr ardal rydw i'n byw ynddi. Ddyn glân, hyd yn oed petai f'addysg wyddonol i'n caniatáu'r fath beth, mi fydda dechra meddwl ar hyd y lein yna yn 'y ngyrru i'n benwan!'

'Ia, fel roeddwn i'n ofni.' Ochneidiodd Benni Rees drachefn. 'Un o'r meddylia modern caeëdig 'ma sy gynnoch chitha hefyd. Wedi gwneud ych gwerslyfr coleg yn Feibil a'ch lab yn eglwys anffaeledig. Arhoswch. Rydan ni wrth waelod lôn Sychbant ac rydw i'n ddiolchgar ichi am ych cymwynas.'

'Peidiwch â sôn,' meddai Philips gan dynnu'r brêc llaw. 'Roedd y sgwrs yn ddiddorol.'

Agorodd Benni Rees y drws cyn troi at ei gymwyn-aswr.

'Gwyn fyd na fydda'r sgwrs yn rhywbeth mwy ichi na diddorol, Philips. Ga i roi un cyngor ichi? Mae Thomas y Contractor yn dechra ar y difrod yn yr Hendre tua hanner awr wedi deg bore fory. Os ydach chi'n gyfaill i Henderson, galwch yn yr Hendre heno ar ych ffordd adre a thriwch 'i ddarbwyllo fo i newid 'i feddwl.'

Camodd allan o'r garfen, ond cyn cau'r drws fe chwanegodd,

'Does gan belen wydr ddim gobaith yn erbyn cromlech dair mil a hanner o flynyddoedd oed. Nos da ichi, Philips.'

A chaeodd y drws.

4

Rhyw awr yn ddiweddarach, ar ei ffordd yn ôl o'r Fron, arafodd Philips ei garfen wrth waelod lôn yr Hendre. Doedd o ddim wedi bwriadu aros yno; roedd hi'n mynd yn hwyr ac fe fyddai Menna'n disgwyl gartre gyda thamaid blasus o swper. Roedd o'n cael rhy ychydig o'i chwmni hi gyda'r nos. Y ffôn yn canu beunos: buwch mewn trafferth yn bwrw'i llo, un o ferlod Major Winterbottom wedi cloffi, pŵdl Miss King wedi cael ffit . . . Doedd dim llonydd i'w gael. Heno, fe fyddai pryd bach tawel gyda Menna'n amheuthun, a gwely wedyn . . .

Ond roedd y sgwrs â Benni Rees yn gwrthod yn lân adael llonydd iddo. Lol wirion, wrth gwrs. Crach-ddewiniaeth. Dim arall. Ac eto, roedd rhyw barch rhyfedd i Benni yn yr ardal. Pan godai unrhyw ddadl ar hanes lleol, at Benni y troid i'w setlo hi. Doedd neb yn mentro'i gymryd yn ysgafn. Dyna oedd yn ôd. Problemau personol hefyd. Os oedd ambell aelod o'r werin leol yn poeni am bres neu am ei briodas neu hyd yn oed am ei iechyd fe fyddai'n haws ganddo fynd at Benni am gyngor nag at Dr. Hughes neu Davies y banc neu'r gweinidog neu'r person. Roedd ei dad yr un fath o'i flaen, medden nhw.

Roedd peth fel hyn yn ddirgelwch i Philips. Wedi'r cyfan, yn yr oes olau hon . . . Addysg, Technoleg, y Goleuni Gwâr . . . Twt lol . . .

Ond troi i fyny lôn yr Hendre a wnaeth Philips.

Agorwyd y drws gan Henderson ei hun.

'Philips! Dowch i mewn, boi, dowch reit i mewn.'

Roedd aroglau wisgi'n cyniwair yn awyr y gegin.

'Mi gymrwch ddracht?'

Syllodd Philips braidd yn hiraethus tua'r poteli a'r gwydrau ar y seidbord. Ar stumog wag, a dwy filltir o waith gyrru o'i flaen, prin y byddai'n ddoeth, ond . . .

'Wel, dim ond un, Henderson. Diolch.'

'Soda?'

'Dŵr, os gwelwch chi'n dda. Caredicach i'r stumog.'

Henderson yn garglo chwerthin yn ei wddw wrth estyn y jwg gwydr.

'Dyn ifanc fel chi'n cael trafferth gyda'i stumog? Hwdiwch.'

Cymerodd Philips y gwydryn.

'Diolch. Petai'ch prydau bwyd chi, Henderson, mor afreolaidd â'n rhai i . . . Iechyd da.'

'*Cheers*. Eisteddwch.'

'Na, wna i ddim eistedd, diolch. Mi fydd Menna'n disgwyl. Jean yn iawn?'

'Fel blodyn. Wedi mynd i'r gwely'n gynnar, chware teg iddi, yn eneth dda.'

'Pryd mae'r diwrnod mawr?'

'Rhyw ddeufis, fwy neu lai. Jeremy fydd 'i enw fo.'

'*Fo?*'

'Wrth gwrs.'

Rhoddodd Henderson glamp o winc ar y ffariar. Winc goblynig o hunanhyderus, meddai Philips wrtho'i hun. A thipyn o wawr alcohol arni. Roedd y set deledu'n pelydru ac yn mwmial yn y gornel.

'Rhywbeth diddorol ar hon?' gofynnodd Philips.

'Dim llawer. Doedd y newyddion ddim yn dda heno.'

'Be felly?'

'Maen nhw'n amau'r clwy yn Trilling.'

'Trilling . . . Trilling . . .' Crafodd Philips ei gof.

'Yn ymyl Caerloyw,' hysbysodd Henderson. 'Un o Trilling ydy Jean.'

Cododd Philips ei olwg o weddill ei wisgi.

'Ewch chi na hithau ddim yn agos yno, Henderson, nes bod y clwy wedi clirio. Os ydy o yno.'

'Fyddai hynny'n annoeth?'

'Annoeth! Ddyn glân, mi fydda'n anystyriol! Mi fyddech yn peryglu nid yn unig ych stoc ych hun ond anifeiliaid yr ardal 'ma i gyd. Faddeuwn i byth ichi.'

Nodiodd Henderson, a chilwenu.

'Does dim rhaid ichi boeni, Philips. Mi fydda i'n cadw Jean yn llonydd yn yr Hendre nes daw'r etifedd, a fydd arni ddim awydd crwydro wedyn am sbel.'

'Mae'n dda iawn gen i glywed hynna.'

'Un bach arall?'

'Dim diolch. Mae'n bryd imi fynd.'

Camodd Philips at y seidbord a dodi'r gwydryn gwag ar yr hambwrdd arian. Hardd hefyd. Fe gofiodd iddo ddod yma a rhywbeth ar ei feddwl. Sut gynllwyn yr oedd dweud y rhywbeth hwnnw oedd fater arall.

'Henderson.'

Roedd Henderson yn ei helpu'i hun o'r botel.

'Wel?'

'Ydy o'n wir ych bod chi'n symud y Cerrig Mawr fory?'

Fe ddaeth rhyw galedrwydd sydyn rhyfedd i wyneb Henderson wrth ofyn,

'Pwy ddwedodd wrthoch chi?'

'O . . . dim ond digwydd clywed. Heno.'

'Felly. Mae pobol yr ardal *wedi* dechrau siarad, ydyn nhw?'

'Wel, wn i ddim beth am *siarad* . . . Ond rydach chi am fynd ymlaen â'r busnes?'

'Philips. Wyddoch chi am unrhyw reswm da pam na ddylwn i symud yr hen gerrig trafferthus felltigedig 'na o ganol 'y nghae gorau?'

Rhythodd Philips arno. Roedd y dyn yn troi'n gas. Oedd, yn wir, am ryw reswm anesboniadwy, yn troi'n wironeddol gas. Ac fe *allai* Henderson fod yn gas yn ei ddiod. Roedd pawb yn gwybod hynny.

Siglodd Philips ei ben yn frysiog.

'Na . . . na, wn i ddim am unrhyw reswm. Mater i chi ydy o. Mater i chi yn llwyr.'

'Mae'n dda gen i glywed.'

Nodiodd Philips.

'Wel . . . os gwnewch chi f'esgusodi i . . . mae'n well imi'i throi hi. Diolch am y glasiad, Henderson. A gobeithio yr aiff . . . y gwaith yn iawn fory.'

'Pam? Ydy hi'n bosib iddo fethu?'

O'r nefoedd, roedd pethau'n gwaethygu. Roedd y dyn fel petai'n chwilio am gweryl. Mynd oedd orau, ar unwaith.

'Nos da, Henderson.'

'Nos da, Philips.'

Roedd Philips yn ddigon balch o anadlu'r awyr iach-ach y tu allan. A chyrraedd sedd ei gerbyd. Roedd rhywbeth yn annaturiol yn y tŷ yna. Estynnodd ei law a throi'r allwedd a thanio'r peiriant cyn troi i edrych eto tua'r tŷ. Roedd Henderson yn dal i sefyll yn y drws, yn gysgodlun tywyll wedi'i fframio yn y golau. Dyn a fyddai'n arfer bod mor gyfeillgar wedi troi'n sydyn mor sarrug. A hynny heb ddim rheswm yn y byd. Heb *ddim* rheswm? Cofiodd Philips am fygythion tywyll niwlog Benni Rees. Twt. Lol wirion. Crachddewin-iaeth. Dim arall.

Gollyngodd y peiriant i'w afael a sboncio dros gerrig anwastad y buarth i'r nos.

5

Drannoeth, yr oedd cae haidd yr Hendre'n debycach i gae preimin, gyda cheir Thomas y Contractor ac un o'i weithwyr a'r craen a'r lorri a'r criw o ddynion chwys-lyd. Roedd yr haidd i gyd wedi'i hen fedi bellach, a'r ysgubau, ar ôl eu gwywo gan rai dyddiau o haul a gwynt, wedi'u cywain oddi ar y cae i glydwch helm fawr newydd yr Hendre. Bellach, roedd y sofl yn dechrau gwynnu ac yn galed fel priciau. A Henderson mewn hwyl.

'Pryd daw hi, Thomas?'

Sychodd y Contractor bach y chwys oddi ar ei ben moel a'i fwstás du cwta, a chwythu'i drwyn.

'Mi fydd sbel eto, rydw i'n ofni. Welis i ddim job fel hon erioed. Naddo, 'rioed.'

A cherddodd yn fân ac yn fuan yn ôl at y twll mawr o gwmpas y cerrig a'r domen o bridd brown oedd wedi'i rofio ohono.

'Mae golwg clamp o fil ar wyneb Thomas,' meddai Henderson wrtho'i hun ond yn uchel.

Fe'i clywyd gan Gareth, oedd yn sefyll gerllaw.

'Be ddwedsoch chi, Mr. Henderson?' meddai gan ddod gam neu ddau yn nes.

'Sut?' Trodd Henderson ei ben. 'O . . . dim. Dim byd. Gweld Thomas yn hir wrthi rydw i.'

'Mae hi'n andros o job, Mr. Henderson.'

'Mi wn i hynny.'

'Roedd 'na gymaint o'r garreg dan ddaear ag oedd yn y golwg.'

'Oedd. Mae hi'n glamp o garreg.'

Dechreuodd y craen ruo eto, a dechreuodd Thomas wneud arwyddion gwylltion ar y gyrrwr. Tawelodd y peiriant nerthol.

'Aros, Wil!' gwaeddodd y Contractor. 'Paid â bod mor ddiawledig o wyllt, wnei di?'

'Be sy'n bod 'te?' galwodd y craeniwr o'r caban. 'Roeddwn i'n meddwl ych bod chi'n barod am hîf-ho arall.'

'Y tsiaen sy wedi llithro eto. Aros i un o'r hogia'i hail-osod hi. A phan ro i arwydd iti paid â gyrru fel cath i gythral!'

Sbiodd Thomas i mewn i'r twll lle'r oedd un arall o'i ddynion yn stryffaglio i gael y gadwen drom am fôn seimlyd y garreg. Sychodd ei chwys drachefn, a siglo'i ben yn rhwystredig.

'Ydach chi'n meddwl y gall y craen 'i chodi hi?' gofynnodd Gareth.

'Mae Thomas yn amheus,' meddai Henderson. 'Ond doedd ganddo ddim calon at y job, p'un bynnag. Mi faswn i'n dweud fy hun fod 'i graen o'n ddigon o foi at y gwaith.'

'Gobeithio, wir. Ne' hwn fydd y trydydd peiriant i gael 'i dorri gan y cerrig 'ma.'

'Olreit, Gareth!' prepiodd Henderson. 'Dyna ddigon ar hynna. Mae nerfau rhywun yn ddigon tynn ar job fel hon heb godi bwganod.'

Trodd Gareth gil ei lygad arno fel ci ar ôl cerydd.

'Ddrwg gen i, Mr. Henderson. Wnes i ddim meddwl 'mod i'n dweud dim o'i le.'

Yn y man, dacw Thomas yn sythu'i gefn ac yn nodio ar ei weithwyr. Gwnaeth arwydd ar Henderson. Cerddodd yntau draw.

'Rydan ni am 'i thrio hi eto, Mr. Henderson. Mae hi wedi symud beth, ond mae hi'n dunelli lawer o bwysa. A chofiwch, os gwela i unrhyw ran o'r craen yn plygu, mi fydd yn down twls y munud hwnnw. Mae gen i ryw deimlad fod rhywbeth annymunol yn mynd i ddig-wydd.'

Cochodd Henderson.

'Diawl erioed, beth sy'n bod ar bawb? Neithiwr fe alwodd Philips y *vet* acw, a gofyn oeddwn i am fynd ymlaen â'r busnes. Ddwedodd o ddim beth oedd wedi'i bigo, ond mi fetiwn i bumpunt fod rhywun wedi chwythu yn 'i glust o. A 'nawr, dyma chithau—'

'Mr. Henderson.' Dododd y Contractor bach ei ddwylo ar ei ochrau. 'Mae'r garreg 'ma wedi bod yn y fan yma am dair mil a hanner o flynyddoedd.'

'Pwy ddwedodd?'

'Benni Rees, Sychbant. Ac mae carreg yn sadio cryn dipyn mewn tair mil a hanner o flynyddoedd. Fedrwch chi ddeall hynny? Nid codi un o feini'r Orsedd sy wedi bod yn 'i le am flwyddyn neu ddwy yr ydan ni.'

Brathodd Henderson ei dafod.

'Fe awn ni'n ôl at y job, Thomas. Symudith y garreg ddim tra byddwn ni'n sefyll fan yma'n siarad. Faint fuon ni wrthi?'

Tynnodd Thomas ei nodlyfr o'i boced.

'Roeddan ni'n dechra cloddio am hanner awr wedi un ar ddeg. Yn gorffen cloddio ac yn gosod y tsheinia am y garreg am hanner awr wedi deuddeg. Hanner awr i ginio. Ati wedyn am un, a dechrau tynnu. Mi ddech-reuodd y garreg symud ugain munud yn ôl, am chwarter i ddau.'

'Rydach chi'n cadw nodiadau manwl, Thomas.'

'Mae contractor gwerth 'i halen yn gwneud. O'r gora. Ati am un cynnig arall. Ac rydw i'n ych rhybuddio chi, Mr. Henderson—'

41

Cododd Henderson ei law.

'Fe anghofiwn ni'r rhybuddion am 'nawr. Mae arna i isio'r garreg 'na o'r fan yma.'

'Reit.' Trodd Thomas yn sychlyd at y lleill. 'Un plwc arall arni, bois! Os na ddaw hi rŵan, ddaw hi byth. Ifan, dyro'r styllen 'na'n sythach ar fin y twll. Twm a Now, trosolion dros y styllen a chyn belled ag yr ân nhw dan y garreg.' Ac yna, bloedd nerthol: 'Barod efo'r craen 'na, Wil?'

'Barod!' atebodd Wil o'r caban.

'O'r gora. Pan ro i arwydd i Wil ddechra tynnu, chitha'ch tri i bwyso ar ych trosolion hynny fedrwch chi. Rho bŵar iddi, Wil!'

Cododd chwyrnu peiriant y craen yn rhu byddarol. Cododd Thomas ei law fawr goch fel fflag, a phan welodd fod pawb yn barod, gollyngodd hi. Clenciodd y cadwyni'n dynn, a dechreuodd y straen.

Am yr ychydig funudau nesa roedd Thomas fel gafr ar daranau. Rhedeg yma, trotian draw, codi'i lygaid pryderus tua braich y craen uwchben, estyn ei ddwylo'n weddigar tua'r cadwyni griddfannus, ffysian uwchben y trosolion fel petai'n disgwyl i un ohonyn nhw dorri'n glec neu blygu'n bwdin unrhyw funud. A thrwy'r amser, mwmial yn ddolurus:

'O 'nghraen bach i . . . 'y nghraen bach melyn del i . . . wnaiff o ddal . . . ? Pwyswch, hogia, pwyswch . . .' Bloedd wedyn: 'Mae hi'n dwad!' Mwmial drachefn: 'Ydy . . . yn dwad . . . dwad . . . O 'nghraen bach i . . .' Gwaedd: 'Mae hi'n dwad! Wil! Tro hi i'r dde! I'r DDE, glywi di, ne' mi fydd ar yn penna ni i gyd. Ara *deg*, Wil, gan *bwyll*, y creadur . . .'

42

A'r garreg yn codi, fodfedd wrth fodfedd, eiliad wrth eiliad, o wyll ei gwely i olau dydd am y tro cyntaf ers pymtheg canrif ar hugain, yn hofran ennyd uwch ymyl y twll, ac yna'n gorffwys ar y sofl.

'Mae hi i fyny,' meddai Henderson yn floesg.

Rhuthrodd y dynion rownd y twll at y garreg oedd yn dal i sefyll yn ei chadwynau, i'w rhyddhau a'i helpu o'i sefyll i'w gorwedd.

'O, diolch, diolch, diolch!' brefodd Thomas, gan sychu'i gorun a'i dalcen a'i wyneb â hances poced oedd eisoes yn wlyb diferol. 'Mewn ugain mlynedd o gon-tractio, dyna'r awr fwya ofnadwy aeth dros 'y mhen i.'

'Wel, Thomas!' Talsythodd Henderson uwchben y dyn bach. 'Doedd dim angen pryderu wedi'r cwbwl, oedd 'na? Mae'ch craen chi'n sownd, mae'r garreg yn dwt ar y ddaear, ac mae pob copa walltog yma'n fyw ac yn iach.' Dechreuodd y garglo chwerthin yn ei lwnc. 'Diar, diar, diar, am beth roeddech chi'n poeni, ddyn? Beth allai fynd o'i le?'

'Mr. Henderson!'

Trodd Henderson wrth glywed Gareth yn galw'n gynhyrfus.

'Beth sy'n bod?'

Pwyntiodd Gareth draw dros y sofl. Dilynodd Henderson ei fys a gweld Gwen Jones yn rhedeg, a'i brat amdani, i'w cyfeiriad. Roedd golwg wyllt ar y ddynes, a'i gwallt yn ei llygaid, yn amneidio'n gythryblus wrth ddod.

Brysiodd Henderson i'w chyfarfod.

'Beth sy'n bod, Mrs. Jones? Oes rhywbeth o'i le?'

'O, Mr. Henderson, mae . . . mae . . .'

'Wel? Dwedwch, ddynes, be sy?'

Ymladdodd Gwen Jones am ei gwynt, a'i llygaid yn llenwi.

'Damwain . . .'

'Damwain?' rhuodd Henderson. 'I bwy?'

'I Mrs. Henderson . . .'

'Beth ddwedsoch chi?'

'Mi syrthiodd . . . O, dowch, plis, ar unwaith—'

'Syrthio!' Rhythodd Henderson arni'n wyllt. 'Ble? Pryd?'

'Llithro ar lawr y tŷ llaeth wrth estyn powlen o lefrith . . . tua thri chwarter awr yn ôl, tua chwarter i ddau—'

'Tri chwarter awr! Yn enw popeth, ddynes, ble buoch chi tan rŵan?'

'Yn ffonio am y doctor . . . fedrwn i mo'i gadael hi . . . Lwc 'mod i wedi dod yn gynnar heddiw; unrhyw ddiwrnod arall fasa neb yn y tŷ . . . Mae arna i ofn . . .' Claddodd ei hwyneb yn ei dwylo. 'O Mr. Henderson . . .'

'Y plentyn?' sibrydodd Henderson.

Nodiodd hithau.

Tynhaodd gwefusau Henderson yn llinell dynn. Trodd a galw: 'Thomas!'

Daeth yntau, dan grynu.

'Ia, Mr. Henderson?'

'Ewch ymlaen â'r gwaith. Yr ail garreg. Rhaid i mi fynd. Dowch, Mrs. Jones. Cyn gynted ag y gallwch chi ar f'ôl i . . .'

Fel ergyd o wn roedd Henderson wedi cychwyn ar draws y cae, ei goesau hirion yn anweledig o dano gan

44

eu cyflymed. Cyn pen dim yr oedd wedi diflannu drwy'r adwy, a Gwen Jones yn baglu'n llafurus dros y sofl ar ei ôl.

'Y creadur helbulus,' murmurodd Thomas.

Trodd Gareth ato.

'Mr. Thomas.'

'Ia, Gareth?'

'Pryd dwedsoch chi y dechreuodd y garreg symud?'

Syllodd y Contractor arno, ac yna estyn ei nodlyfr.

'Am chwarter i ddau. Pam?'

Aeth wyneb bochgoch Gareth cyn wynned â'r galchen.

'Dyna pryd syrthiodd Mrs. Henderson.'

6

Pan gyrhaeddodd Henderson y buarth fe welodd gar Dr. Hughes yn sefyll yno, a'r drws cefn ar agor led y pen. Rhedodd i mewn, a dyna lle'r oedd Jean yn gorwedd ar y setl a'r meddyg yn gorffen ei harchwilio.

Cododd y meddyg ei ben a thynnu'i stethosgop o'i glustiau.

'Ble mae Mrs. Jones?' gofynnodd ar unwaith.

'Mae hi'n dod, Doctor. Fe ddaeth i alw arna i—'

'Fe ddylai fod wedi aros nes i mi gyrraedd. Ddylid ddim gadael Mrs. Henderson 'i hunan fel hyn.'

Brysiodd Henderson at ochr ei wraig a gwyro drosti.

'Jean fach?'

Trodd hi'i phen ac edrych arno.

'Poen?'

Nodiodd hi'n wannaidd.

'Rydw i'n ofni bod Mrs. Henderson wedi torri neu gracio'i migwrn,' meddai'r meddyg. 'Yr *X-ray* wnaiff ddangos beth. Mae'n debyg iddi lewygu. Doeddech chi'n cofio dim ar ôl syrthio, 'mach i?'

'Dim,' meddai hi'n floesg. 'Rydw i'n cofio dod ataf fy hun a Mrs. Jones yn trio gwthio blanced o dana i—'

'O'r gora. Peidiwch â siarad rwan. Rydw i wedi ffonio am ambiwlans, Mr. Henderson—'

'Ambiwlans?'

'Iddi gael archwiliad yn syth. Gorau po gynta.'

Ar hynny, daeth Gwen Jones. Dechreuodd ar ei stori ar unwaith ond torrodd y meddyg ar ei thraws.

'Peidiwch â phoeni, Mrs. Jones. Fe wnaethoch ych gora dan yr amgylchiada. Roeddach chi ddigon o gwmpas ych petha i'w lapio hi mewn blancedi, beth bynnag. Neu mi fydda wedi fferru ar lawr y tŷ llaeth. Dyna pam y cariais i hi i'r fan yma. Diolch ych bod chi yma, beth bynnag. Rydw i'n meddwl y gall Mrs. Henderson gymryd diod gynnes o de i aros yr ambiwlans.'

'Mi wna i un ar unwaith, Doctor.'

Sychodd Gwen Jones ei llygaid wrth estyn y tegell trydan. Amneidiodd y meddyg ar Henderson ac aeth y ddau drwodd i'r cyntedd. Caeodd y meddyg y drws yn dynn.

'Doctor, rydw i'n ddiolchgar iawn am un peth,' meddai Henderson. 'Mae'n resyn am y migwrn, wrth gwrs, ond mi wellith hwnnw. Rhywbeth arall oedd yn 'y mhoeni i.'

Roedd y meddyg yn ei astudio'n ddyfal heb ddweud gair.

'Wel,' aeth Henderson yn ei flaen, 'wrth redeg nerth 'y nhraed at y tŷ roeddwn i'n dychmygu gweld llawr y tŷ llaeth yn fôr o waed a . . . a'r plentyn . . . Ond mae popeth yn iawn.'

Dim ateb gan y meddyg.

'Doctor? *Mae* popeth yn iawn . . . on'd ydy?'

Roedd y meddyg wedi plygu'i ben.

'Nac ydy, Mr. Henderson.'

'Beth . . .?'

Cododd Dr. Hughes ei lygaid llwydion mawr a chydiodd yn dynn ym mraich y ffarmwr.

'Mr. Henderson. Mae 'na adegau mewn bywyd—'

'Sgipiwch y ddarlith, Doctor. Y gwir, os gwelwch chi'n dda.'

Gollyngodd y meddyg ei fraich ag ochenaid, a dechrau byseddu'i stethosgop.

'O'r gora. Y gwir. Y tro diwetha y des i yma, drwy'r stethosgop yma mi glywais galon fach y babi'n curo. Y peth cynta wnes i gynnau, ar ôl gweld y migwrn, oedd gwrando am y galon fach honno eto. Dydy hi ddim yn curo mwyach.'

Pwysodd Henderson yn erbyn y wal, yn teimlo'i nerth yn ei adael.

'Ond efallai mai wedi stopio dros dro mae hi . . .? Fe all gychwyn eto . . .?'

Siglodd y meddyg ei ben.

'Ond pam na fyddech chi . . .? Wel, Duw mawr, rydych chi'n feddyg, pam na *wnewch* chi rywbeth?'

Unwaith eto, edrychodd i fyw'r llygaid llwydion mawr, a chlywed y llais fel petai'n dod o bellter:

''Y ngwaith i ydy achub bywyd. Petai unrhyw beth y medrwn i'i wneud—unrhyw beth yn y byd—fe'i gwnawn o. Ond mae 'na ddau air na all hyd yn oed y meddyg gorau wneud dim yn 'u cylch nhw. ''Rhy hwyr.'' Mae hon yn ergyd enbyd ichi, Mr. Henderson, mi wn—'

'Does . . . arna i ddim eisiau cydymdeimlad.'

'O. Mae'n ddrwg gen i.' Cerddodd y meddyg tua'r drws agored ac edrych allan. 'Fe ddylai'r ambiwlans fod yma gyda hyn—'

'Doctor?'

'Ia?'

'Nid am *X-ray* yn unig rydych chi'n mynd â Jean, nage?'

'Nage. Fe fydd rhaid cael *operation*.'

'I dynnu'r . . . plentyn.'

'I ddiogelu'i hiechyd hi.'

'I ble'r ewch chi â hi?'

'I'r dre, wrth gwrs.'

'I'r . . . i'r lladd-dy 'na?'

'Dydy hynna ddim yn beth caredig i'w ddweud am unrhyw ysbyty.'

'Fe fyddai'n well gen i fynd â hi i'r ysbyty yn ymyl 'i chartre. Ysbyty iawn, modern, medrus. Yng Nghaerloyw.'

'Pump, chwe awr o daith?'

'Ellwch chi ddim cael helicopter?'

Tynhaodd gwefusau'r meddyg a chymylodd y llygaid llwydion.

'Mr. Henderson. Rydach chi mewn gofid ar y funud. Mi fedra i ddeall hynny. Ond rydw i am ofyn ichi drio bod yn synhwyrol. Os oes arnoch chi eisiau'ch priod yn ôl yn yr Hendre 'ma'n fyw ac yn iach mae'n well ichi ymddiried y feddyginiaeth i mi. Y dydd o'r blaen mi rybuddiais chi i gadw llygad arni—'

Tawodd Dr. Hughes, yn amlwg yn brathu'i dafod rhag clwyfo, er cymaint y demtasiwn.

'Ond y dyn, allwn i ddim bod gyda hi yn y tŷ bob munud.' Ffromodd Henderson. 'Roedd gen i waith yn galw.'

Collodd Dr. Hughes ei dymer, clwyfo neu beidio.

'A pha waith oedd yn galw heddiw?'

'Roeddwn i'n symud y gromlech.'

'Symud . . . y gromlech . . . !'

Nodiodd Henderson yn ffyrnig.

'Ie. Gawsoch chi'r neges, Doctor? Symud y gromlech. Dyna roeddwn i'n 'i wneud. Symud y blydi cromlech!'

Daeth Dr. Hughes gam neu ddau yn nes, gan syllu ar y dyn berwedig hwn o'i flaen. Yn y man fe ddywedodd,

'Mr. Henderson. Dydw i ddim yn credu'r ofergoelion am Gerrig Mawr yr Hendre. Ond ga i awgrymu'n garedig ichi gymryd hyn yn wers? Fod bywyd a chysur a theimladau pobol eraill yn bwysicach na mynd ag unrhyw faen i'r wal—neu symud unrhyw faen o'i le?'

Chwythodd Henderson drwy'i ffroenau.

'Fel y dwedsoch chi, Doctor, ych gwaith chi—neu felly roeddwn i'n credu—ydy achub bywyd, nid dysgu'u gwaith i bobol eraill. Mi wna i fel y gwela i orau.'

Ar hynny fe ddaeth sŵn yr ambiwlans. Brysiodd Dr. Hughes i'r gegin.

'Planced gynnes arall, Mrs. Jones, os oes un. A photel ddŵr poeth.'

'Ar unwaith, Doctor.'

Wedi cael Jean i'r ambiwlans a gweld y drysau gwynion wedi'u cau'n ddiogel dynn galwodd y meddyg o'r buarth.

'Mrs. Jones, ddowch chi â 'mag i o'r tŷ, os gwelwch chi'n dda?'

Cyn pen dau funud dyma Gwen Jones yn dod yn fân ac yn fuan â'r bag.

'O, Doctor Huws bach, diwrnod sobor, yntê? Fydd hi'n iawn, ydach chi'n meddwl, y beth fach?'

'Bydd. Rydw i'n meddwl y bydd *hi*'n iawn. Rydw i'n poeni mwy amdano *fo*.' Edrychodd Dr. Hughes tua'r tŷ. 'Roedd o'n byw i'r plentyn 'na. Mi fydda'n well petai o wedi torri i lawr a chrio llond 'i fol yn lle cadw'r lwmp deinameit 'na tu mewn iddo. Cadwch lygad arno, 'ngeneth i. Duw a ŵyr be wnaiff o nesa.'

7

Doedd Gareth ddim yn gapelwr. Ond yr oedd wedi dechrau mynd i Beerseba ar nos Sul ers rhai wythnosau am un rheswm da. Roedd Marian yn canu'r organ yno. Ac fe wyddai nad oedd ganddo fawr o siawns i hongian ei het ar yr hoel *yna* os nad oedd ganddo ryw lun o grefydd. Roedd yr hen William Owen, yr oedd Henderson mor ysgafn ohono, yn daid iddi, ac roedd ei thad yn prysur ddilyn yr hen William tua'r sêt fawr. Ac roedd Marian hithau, yn ei ffordd ffres ei hun, mor dduwiol ag oedd hi o ddel.

Nid nad oedd ynddi ddigon o hwyl. Doedd hi ddim yn *sych* dduwiol o bell ffordd. Nac yn gul chwaith, fel y medrai rhai fod yn gul. Fe olchai ei pheisiau ar ddydd Sul os byddai galw, a wnâi hi ddim gwrthod gêm o gardiau ar nos Sul—yn nhŷ rhywun arall. Ond roedd hi'n credu bod yna nefoedd ac uffern ar ôl marw; roedd hi'n gorcyn yn erbyn diota; ac roedd hi'n gwybod ble i stopio, chwedl hithau, wrth garu.

Wel, bid a fo am hynny, roedd Gareth dros ei ben a'i glustiau ers tro bellach, a phinacl ei wythnos oedd cael hebrwng Marian o'r capel ar nos Sul at giât Y Ddôl. A chael gwneud hynny'n agored, a phawb yn gweld ac yn gwybod a'r sôn wedi mynd ar led eu bod yn canlyn.

Digon tebyg fod rhai'n dweud nad oedd gwas ffarm ddim yn ddigon da i ferch Richard Owen ac wyres William Owen, Y Ddôl. Ond roedd yr oes yn newid mewn pethau felly hefyd, a merched yn weddol rydd i ddewis bellach. Wedi'r cwbwl, roedd o'n ddigon taclus ei wisg a'i osgo ac yn ofalus o'i bres, yn Gymro ac wedi dechrau mynd i gapel. Beth mwy y gallen nhw'i ofyn?

Yn sicr, roedd o'n ddigon da ganddi hi. A hynny, wedi'r cwbwl, oedd yn cyfri.

'Mi awn ni drwy'r Allt Goch heno,' meddai wrthi.

'Pam?' meddai hithau'n syn.

'Am newid.'

'Gareth Lewis Roberts, edrych yn fy llygaid i.'

Edrychodd yntau. Roedd ei llygaid bron cyn lased â'i siwt ac yn lasach na'r het fach gron ar ei chorun. Glas môr y Rhyl ar ddiwrnod trip ysgol Sul.

'Pam rwyt ti'n chwerthin?' gofynnodd iddi.

'Dydw i ddim yn chwerthin. Gwenu arnat ti rydw i, 'mlodyn i, yn gwybod dy fod ti'n dweud celwydd wrtha i yn dy ffordd fach ddiniwed dy hun. Nid am newid rwyt ti am fynd â fi drwy'r Allt Goch, ond am fod yno well lle i garu heb i neb ddwad heibio.'

'Marian, ar 'y ngwir rŵan—'

'A ph'un bynnag, mae gen i isio mynd adre'r un ffordd ag arfer am reswm sbesial iawn.'

'Be'di hwnnw?'

'Mae gen i isio gweld be mae dy fistar hollalluog di wedi'i wneud i Gerrig Mawr yr Hendre.'

Dechreuodd Gareth chwysu. Gwir, roedd hi'n noson gynnes a'i siwt orau braidd yn drwchus, ond—

'Marian, gad inni fynd drwy'r Allt Goch.'

Roedd ei hwyneb hi'n sobri 'nawr.

'Gareth? Oes arnat ti ofn rhywbeth?'

'Ofn? Fi?' Chwarddodd yn gwta ac yn wrywaidd iawn. 'Ofn be?'

'Dyna ydw i'n ofyn. Dwyt ti ddim yn credu . . . wel, y petha rhyfedd mae rhai pobol yn 'u dweud am—'

'Am y Cerrig Mawr? Wrth gwrs nad ydw i ddim! Hen goelion gwirion diawl—'

'Paid â rhegi ar nos Sul, dyna hogyn da. Ty'd rŵan.'

Chwarter awr yn ddiweddarach, ym min tywyllnos, safodd y ddau wrth y gamfa lle buon nhw'n sefyll ers sawl nos Sul bellach. Tynnodd Marian ei het ac ysgwyd ei gwallt gwinau tonnog yn rhydd. A syllodd i fyny tua'r llechwedd.

'Mae'n edrych yn chwithig, on'd ydy?' meddai toc. 'Dim ond dwy garreg lle buodd tair er pan ydw i'n cofio.'

'Mae'r drydedd yno, os edrychi di'n iawn,' meddai Gareth, heb edrych ei hun.

Craffodd hithau.

'Ydy, mae hi hefyd. Yn gorwedd wrth draed y lleill. Pam na fasa Thomas wedi mynd â hi o'na? A symud y ddwy arall? Mi fasa rhywun yn meddwl y basa fo'n gwneud y job yn iawn ar ôl dechra.'

'Down twls ddwedodd o. A down twls fuodd hi. Thwtsiodd o mo'r petha hyll ar ôl . . .'

'Ar ôl y ddamwain i Mrs. Henderson?'

Daliodd Marian i graffu tua'r Cerrig Mawr.

'Ond pam? Dyn pengaled llygad-y-geiniog fel fo . . . Pam?'

'O, beth ydy'r ots pam, neno'r nefoedd annwyl? Ty'd o'ma!'

Trodd Marian yn araf, a'i lygadu, gan agor ei siaced heb iddo sylwi bron, i ddangos ei bronnau'n llenwi'i siwmper wen. Estynnodd ei llaw a'i dynnu ati.

'Nac ydy, Gareth, dydy o ddim ots.'

Yn beiriannol, aeth ei freichiau amdani. Fe deimlodd ei bronnau'n clustogi'i frest a'i bysedd yn anwesu'i wallt. Teimlodd ei dwy glun gref yn erbyn ei gluniau a'i gwefusau'n llaith ar ei wefusau'i hun.

Ond byr fu'r cusan.

'Gareth.'

'Wel?'

'Wyt ti'n 'y ngharu i?'

'Wrth gwrs 'mod i.'

'Fasa neb yn dweud hynny. Fel arfer, fi sy'n gorfod dweud ble i stopio. Does dim gwaith stopio arnat ti heno.'

Syllodd Gareth i fyw ei llygaid hi.

'Petaen ni yn yr Allt Goch, Marian—lle roeddwn i isio mynd—ne' wrth giât Y Ddôl, mae'n gwestiwn gen i allat ti fy stopio i. Ond yma . . . a'r rhei-cw'n sbio arna i . . .'

Dechreuodd grynu'n ddireolaeth. Cydiodd Marian yn ei ddwylo i geisio atal y cryndod. Edrychodd hi dros ei hysgwydd tua'r Cerrig Mawr, erbyn hyn bron o'r golwg yn y gwyll, a chydiodd yn dynnach.

'O'r gora, Gareth. Mi awn ni adre. Mi awn ni reit gyflym.'

8

Yn yr ysbyty roedd Henderson fel cath mewn cortyn. Ni allai byth gyrraedd yno'n ddigon buan; ni allai ddod oddi yno'n ddigon buan chwaith. Edrychodd ar ei wats a gweld bod ganddo ddeng munud arall cyn y byddai'n rhaid i'r ymwelwyr fynd.

'Fe ellwch chi fynd, Bill, os ydych chi ar frys,' meddai Jean yn wanllyd o'i gwely.

'M? O na, dydw i ddim ar frys. Does arna i ddim eisiau mynd o gwbwl, cariad.'

'Siŵr?'

'Siŵr.'

Roedd Jean yn dal yn wan iawn, rhwng y crac yn ei ffêr a'r llawdriniaeth. Ond gwan neu beidio, roedd hi'n barod i fynd o'r fan yma.

'Mae arna i eisiau mynd adre, Bill.'

'I'r Hendre?'

'Fe wyddoch chi'n iawn ble rydw i'n 'i feddwl.'

'Ond Jean fach, mae Trilling yn llawer rhy bell, a chithau yn y cyflwr yma. Ysbyty ydy'r lle i chi nes dowch chi'n gryfach.'

'Mae 'na ysbyty bach cartrefol yn Trilling ...' Dechreuodd hi igian crio. 'Rydw i'n nabod bron bawb yno. Fe allai 'Nhad a 'Mam ddod bob dydd. Ac mae pawb yno'n siarad Saesneg yn lle'r ... hen Gymraeg 'na o hyd—'

'Twt, does dim llawer o Gymraeg mewn lle fel hwn—'

'Oes. Mae'r merched yn y gwelyau o boptu imi'n siarad Cymraeg â'i gilydd weithiau ar draws 'y ngwely i—'

'Mi ga i air â nhw am y peth—'

'Na! Na, peidiwch, Bill. Rhag ofn iddyn nhw fod yn gas wrtho i ar ôl ichi fynd—'

'Os bydd rhywun yn gas wrthoch chi, cariad—'

'Na, doeddwn i ddim yn meddwl hynna. Wir. Fydden nhw byth yn gas, rydw i'n siŵr. A dweud y gwir, maen nhw reit garedig. Gwendid sy arna i.' Sniffiodd eto. 'Ond fe fyddai mor braf bod yn Trilling. Mi fyddwn i'n siŵr ... o fendio'n gynt ...'

Ochneidiodd Henderson yn drwm.

'Wnaen nhw ddim caniatáu ichi adael y lle 'ma, Jean.'

'Fedrech chi mo'u perswadio nhw, Bill? Rydych chi bob amser yn cael ych ffordd ych hun ... gyda phopeth.'

Bwriodd ei gŵr olwg arni, mor llwyd ei gwedd yn y gwely gwyn. Siglodd ei ben.

'Ambiwlans . . . fe fyddai'n rhaid talu. Fe fyddai'n gostus enbyd . . .'

Sniffiodd Jean eto.

'Does arna i ddim isio ichi wario arna i, wrth gwrs.'

'Na.' Trodd Henderson ati. 'Na, doeddwn i ddim yn meddwl hynna. Mi wariwn i 'ngheiniog ola arnoch chi petawn i'n siŵr mai dyna'r ateb.'

'Er 'mod i wedi colli'r plentyn?'

Gwingodd Henderson.

'Jean, am y degfed tro, nid arnoch chi'r oedd y bai.'

'Cha i byth wared â'r euogrwydd.'

'Fe fydd rhaid ichi. Dyna ddigon ar hynna.'

Sylweddolodd Henderson ei fod wedi codi'i lais; roedd yr ymwelwyr eraill yn troi i edrych arno. Cododd i fynd.

'Edrychwch, mae'n well i mi'i chychwyn hi. Fe fydd y gloch yn canu unrhyw funud—'

'Bill . . .'

'Ie, cariad?'

Roedd ei llygaid brown tlws yn llawn dagrau a'i llaw'n ymestyn tuag ato.

'Bill, os oes unrhyw ffordd imi gael mynd i Trilling . . . phoena i monoch chi am ddim byd arall eto . . . rydw i'n addo.'

Brathodd ei wefus. Roedd peth fel hyn yn gwbwl annheg; trafferth ar ben trafferth, gofid ar ofid . . . Ac roedd hi mor annwyl, mor ddiymadferth, mor llwyr ddibynnol arno.

'Clywch, cariad,' meddai wrthi. 'Mi ga i air â'r llawfeddyg fory. Os galla i gael ambiwlans . . . Beth bynnag, mi wna i 'ngorau.'

Cydiodd hi'n dynn yn ei law, a dau ddeigryn mawr yn pefrio un ar bob boch.

'Bill annwyl. Diolch.'

Plygodd i'w chusanu'n frysiog ar ei cheg, a martsiodd allan heb nos da i neb, i gael llond pen o awyr iach a chael rhegi.

9

Suddodd Philips y milfeddyg i waelod y gadair freichiau ddyfnaf oedd ganddo ac estyn ei goesau hirion at danllwyth paradwysaidd o dân. Ambell awr fel hon oedd yn coroni bywyd, yn gwobrwyo dyn am ei holl redeg a rasio a ffidlan a ffysian ffôl. Dim ond i'r ffôn beidio â chanu, dim ond i ferlod Major Winterbottom gysgu'n dawel a phŵdl Miss King beidio â chael ffit, fe fyddai heno'n braf. Yr oedd yn gyfforddus lawn o swper da; ar y ford fach wrth fraich ei gadair roedd mygiaid o goffi du a gwydraid hael o frandi a'i jar baco *Wedgwood* yn barod at iws. A Menna gyferbyn yn gweu.

Roedd y newyddion naw ar y teledu, ond doedd yr eitemau mwya catastroffig yn mennu fawr ar Philips heno. Lle fel'na oedd y byd 'ma, ysywaeth: trwblus, cythryblus, dwl. Ie, dyna nhw: deugain mil o bunnau wedi'u lladrata o fanc ... chwyldro newydd yn Ne America ... bloc o fflatiau wedi cwympo yn Llundain ... dau drên wedi mynd yn benben i'w gilydd ... achos newydd o glwy'r traed a'r genau—

57

A dyna'r milfeddyg yn deffro drwyddo.

'A fresh outbreak of the foot-and-mouth disease was confirmed to-day on three farms near the village of Trilling in Gloucestershire ... within a fifteen-mile radius of the village has been declared an infected area ...'

A daeth y lluniau anochel o gyrff defaid a gwartheg, a milfeddygon fel fo'i hun yn sefyllian o gwmpas mewn bwtsias a gynnau dan eu ceseiliau ...

Trilling. Rŵan, ble'r oedd o wedi clywed yr enw yna o'r blaen? Yn ddiweddar iawn hefyd, gan rywun ...

'Menna, glywist ti am y lle Trilling 'na o'r blaen?'

Menna'n codi'i phen.

'Trilling?'

'Ia. Fanna, lle mae'r clwy.'

Doedd Menna ddim yn gwylio nac yn gwrando, yn amlwg. Syllodd hi i'r tân, ac yna siglo'i phen.

'Na ... chlywis i 'rioed am y lle. Yn Lloegar 'na rywla, ia? Dydw i ddim yn gry iawn ar jiograffi, fel y gwyddost ti. Mae o'n ddigon pell, gobeithio.'

'O ydy. Hyd yma.'

Aeth y cyhoeddwr llyfn ymlaen at eitem arall, a newidiodd y darlun. Ond yn ei fyw ni allai Philips gael gwared â'r enw. Trilling ... Doedd ond ychydig ddyddiau, roedd o'n siŵr, er pan soniodd rhywun am y lle ... rhywun reit gyfarwydd hefyd ... rhywun o'r ardal *yma* ...

'Duw mawr!'

Roedd Philips wedi hanner codi o'i gadair. Cododd Menna'i phen yn sydyn.

'Be sy? Wyt ti'n sâl ne' rwbath?'

'Sâl? Na, wedi cofio rydw i.'

'Cofio be?'

'Cofio pwy soniodd am y Trilling 'na. Wyddost ti rywbeth o hanes gwraig Henderson?'

'Yr Hendre?'

'Ia.'

'Mi gollodd y babi'n do?' meddai Menna.

'Do, do. Ble mae hi rŵan, wyddost ti?'

Unwaith eto fe syllodd Menna i'r tân, gan grafu'i gwar ag un o'i gwëyll.

'Wel, yn yr hosbital yn y dre, am wn i. Pam?'

'Na feindia.' Cododd Philips ar ei draed. 'Mi ro i gloch i Henderson i ofyn sut mae hi. Mi ddylwn fod wedi gwneud cyn hyn. Rydw i wedi yfed ambell beint efo'r brawd.'

'Do, lawn gormod unwaith neu ddwy.' Edrychodd Menna'n ddireidus geryddgar ar ei ôl wrtho iddo gerdded tua'i stydi.

Eisteddodd Philips wrth ei ddesg, codi'r ffôn a deialu. Toc, fe'i hatebwyd, ond nid gan Henderson.

'Philips y *vet* yma. Pwy sy'n siarad?'

'Gareth Robaits.'

'O, Gareth, ti sy 'na? Beth wyt *ti*'n 'i wneud yn yr Hendre mor hwyr â hyn?'

'Rydw i'n cysgu yma heno. Fi sy'n gwarchod.'

Crychodd Philips ei dalcen.

'Gwarchod? Ble mae Mr. Henderson?'

'Mae o wedi mynd i Trilling.'

Bu agos i Philips dagu.

'Trilling! Be uffern ddaeth dros ben y . . .? Na . . . anghofia hynna, 'ngwas i. Pam yr aeth o i fanno? Wyddost ti?'

'Wel, hyd y gwn i, Misus oedd isio mynd yn nes i'w chartre. Teimlo'n hiraethus, felly roedd y bos yn dweud. Ac mi ddwedodd y Doctor 'i bod hi'n ddigon cry iddo fynd â hi yn y car i ryw gotej hosbitol sy 'no.'

'Yn y Trilling 'na?'

'Ia, dyna chi.'

'Felly.'

Saib.

'Oes gynnoch chi ryw neges iddo fo, Mr. Philips?'

'Nac oes. Ond mi fydd, pan ddaw'r . . . pan ddaw o'n ôl. O'r gora Gareth. Nos da.'

Gollyngodd y ffariar y ffôn yn glec i'w grud. Cododd a cherdded i'r ffenest. Tynnodd y llenni ac edrych allan i'r nos. Yno, yn y tywyllwch, yr oedd degau o ffermydd a'u hanifeiliaid i gyd yn iach. O leia'n ddigon iach i un ffariar cymedrol brysur fedru dod i ben â phob anhwylder ac erthyliad a ffit. Degau o ffermwyr, heno, yn paratoi at wely heb ddim pryder am yfory, fwy na phryderon arferol ffarm.

A dyna un lleban penstiff, er iddo gael ei rybuddio, yn peryglu'r cwbwl. Dim ond am fod ar ei wraig fymryn o hiraeth. Byddai, fe fyddai ganddo neges i'r brawd Henderson pan ddôi'n ôl.

★   ★   ★

Tri o'r gloch y bore, a Gareth heb gysgu hunell. Gwaeth fyth, roedd y lleuad fedi wedi codi—honno'n codi'n hwyr y nosweithiau hyn gan ei bod ar ei gwendid —ac wedi papuro parwydydd y stafell â chysgodion.

Ers tro, roedd Gareth wedi mynd i wylio'r cysgodion hynny fel cath yn cadw'i llygad ar lu o lygod yr un pryd. Y mwyaf anghynnes oedd cysgod y pren mwnci ar y pared gyferbyn. Am rai munudau fe fyddai'r breichiau hirion blewog yn hollol lonydd, ac yna—brrr! Pwff o wynt sydyn wedi taro'r pren y tu allan, a'r breichiau blewog yn nyddu'n neidraidd hyd y pared a'i galon yntau'n curo fel gordd.

Doedd y lleill fawr difyrrach. Cysgod deilen yn parasiwtio o'r onnen fawr wrth dalcen y beudy, cysgod y shitsen asbestos rydd yn crynu pan ddôi gwynt . . . Hyd yn oed ar gysgod cadarn ffrâm y ffenest yr oedd rhyw symud disymwth 'nawr ac eilwaith. Fe benderfynodd Gareth mai gwyfyn marw oedd yno, a'i adenydd yn deffro yn y drafft.

Doedd o erioed wedi gorfod byw drwy'r fath noson â hon. Yma ar ei ben ei hun, yn yr Hendre: hen honglaid o dŷ mawr a hwnnw'n wag. Ac roedd sŵn tŷ gwag yn arswydus, fel pob sŵn mewn tawelwch llethol: gwich ar y grisiau (be gebyst oedd hwnna?), griddfaniad oer drws yn rhywle heb ei gau, clec ffenest i lawr yn ymysgaroedd y tŷ . . .

Diolch, o leia, nad oedd wedi gorfod cysgu yng ngwely'r mistar a'r feistres. Doedd o ddim yn ofergoelus —nac oedd, wir-yr—ond doedd hwnnw ddim yn wely lwcus, a dweud y lleia. Fe fu Gwen Jones yn ddigon meddylgar i wneud gwely iddo yma yn y llofft arall. Ond hyd yn oed yma doedd dim osgoi ar y lleuad, na'r cysgodion, na synau maleisus ffermdy gwag . . .

A pham yr oedd Gwen Jones wedi edrych arno mor dosturiol cyn mynd i'w chartre'i hun at y godro? A beth oedd wedi corddi cymaint ar Philips y *vet*? Ymwthiodd Gareth yn ddyfnach dan ddillad y gwely i geisio cynhesrwydd. Roedd Gwen Jones wedi rhoi llwyth gaeaf o ddillad arno, ond roedd y llanc yn oer. Oer. Ac yn mynd yn oerach.

Ar hynny, dyma gysgod aderyn mawr yn croesi cysgod y pren mwnci ac yn ymgladdu i gysgod to'r beudy. Brrr! Beth oedd aderyn corff? Oedd y fath beth? Nac oedd, wrth reswm. Ond neidio o'i wely a wnaeth Gareth a tharo swits y golau. Diflannodd y cysgodion oddi ar y parwydydd a daeth rhosynnau mawr cochion i'w lle.

Brysiodd at y ffenest ac edrych allan. Yr oedd wedi ofni edrych cyn hyn, ond 'nawr fe chwiliodd amdanyn nhw. A gollyngodd ochenaid o ryddhad. Roedd clawdd y cae mawr i'w weld yn glir yng ngolau'r lleuad, a'r rhes o goed isel wedi'u camu tua'r llechwedd gan wynt y môr. Ond doedd y Cerrig Mawr ddim yn y golwg o'r fan yma. Rhaid bod y cae'n goleddfu i'r cyfeiriad arall, yn goleddfu union ddigon . . .

Ond yn y golwg neu beidio, roedden nhw *yno*. Llithrodd Gareth yn ôl i'r gwely gan adael y golau ynghyn. Gorweddodd am sbel a'i bwys ar ei benelin, yn syllu ar y llun o Marian yr oedd wedi'i osod yn ei ymyl i fod yn gwmni iddo. Syllodd yn hir ar ei hwyneb heulog, y chwerthin yn ei llygaid ac yn ei dannedd gwastad gwyn. Syllodd ar ei gwddw, ar ei bronnau'n llenwi'i siwmper wen . . . Ymwthiodd dan y dillad a'i wyneb tuag ati i geisio cynhesu wrth feddwl amdani, i

62

chware'i bod hi yma gydag o yn gwmni ac yn gynhes-
rwydd . . .

Fe'i deffrowyd gan y gwartheg wrth giât y buarth yn
brefu am ollyngdod i'w cadeiriau llawn. Roedd hi'n
ddwyawr ar ôl amser godro.

10

Ar ei ffordd i'r cyfarfod gweddi fe arafodd William
Owen ei gam wrth nesáu at gamfa'r Hendre. Roedd y
dydd yn byrhau a'r golau'n pylu, ond roedd o'n siŵr
fod rhywun yn sefyll wrth y gamfa. Rhywun tebyg
iawn i Benni Rees, Sychbant.

Yr oedd wedi dyfalu'n gywir.

'Noswaith dda, Benni Rees.'

Trodd y gŵr tal ei ben.

'Nos dawch, William Owen.'

A dim ond hynny. Doedd gŵr Sychbant, yn amlwg,
ddim mewn cywair cymdeithasol heno. Ond roedd
William Owen mewn da bryd i'r cwrdd gweddi; fyddai
neb arall yno ar ben yr amser, p'un bynnag; yr oedd
munud neu ddau am sgwrs. Closiodd yntau at y gamfa
a dechrau arni.

'Wedi codi'n braf eto ar ôl y glawogydd mawr 'na
gawson ni. Be sy'n ych tynnu *chi* i'r Hendre 'ma heno,
Benni Rees? Peidiwch â meddwl 'mod i'n fusneslyd
chwaith. Rhyw . . . neges efo Henderson?'

'Does gen i byth neges efo'i debyg *o*.' Ni thynnodd
Benni mo'i lygaid oddi ar y meini ar y llechwedd o'i

flaen. 'Er bod gen i rywbeth y bydda'n lles iddo'i glywed.'

Moelodd gŵr Y Ddôl ei glustiau.

'Felly. Dydach chi ddim llawer o lawia efo Henderson.'

'Does gen i ddim i'w ddweud wrth beiriant o ddyn sy'n tynnu hanes i fyny o'r gwraidd.'

'O. A dyna sy'n ych tynnu chi i'r Hendre. Y Cerrig Mawr acw.'

Trodd William Owen yntau'i lygaid i'r cyfeiriad a symud ei ambarél o'i arddwrn de i'w arddwrn chwith a'i lyfr emynau o'i law chwith i'r dde. A dweud:

'Wyddoch chi be, roedd honna dynnodd Thomas y Contractor o'r ddaear yn glamp o garreg. Peth rhyfedd iddo'i gadael hi'n gorwedd fan yna hefyd. Ers tair wythnos.'

'Mi gafodd y Contractor ddôs o barchedig ofn.'

'Wel ia,' meddai William Owen, 'rydach chi'n credu bod rhyw allu cudd yn y cerrig acw'n dydach?'

Trodd y llall ato.

'Ydach *chi* ddim?'

'Mae 'nghrefydd i'n dweud mai paganiaeth ydy peth felly.'

'Wel, pagan ydw i, fel y gwyddoch chi.'

'Ia, gwaetha'r modd,' ochneidiodd gŵr Y Ddôl.

'Ond mae'ch Testament Newydd chi'n sôn am ysbrydion aflan, ac roedd ych Crist chi'n 'u bwrw nhw allan.'

'Mae'r ysgolheigion yn esbonio mai gwallgofrwydd a phetha felly oedd yr ysbrydion aflan, ond bod y bobol yn rhy anwybodus i ddeall—'

'Anwybodus, oeddan nhw?' Crynodd llais dwfn Benni Rees. 'Ydach chi'n siŵr nad ych ysgolheigion bondigrybwyll chi sy'n anwybodus? Y peth hawsa'n y byd ydy lapio tipyn o wybodaeth newydd mewn parsal a tharo label arno a dweud, "Dyna fo ichi, bobol: y gwir, yr holl wir a dim ond y gwir." Yr Hwn sydd yn preswylio yn y nefoedd a chwardd.'

Trodd William Owen lygad difrifol ar ei gymydog. 'Rydach chi'n dweud petha go fawr, Benni.'

'Pe cawn i'r cyfle,' daeth yr ateb dyfnllais, 'mi ddwedwn i wrth bob gwyddonydd a seicolegydd smyg, "There are more things in heaven and earth, Horatio, than are dreamt of in your philosophy." Fe ysgrifennwyd hwnna yn yr iaith y mae Henderson yn 'i siarad, ond mae o'n rhywbeth na fedar Henderson mo'i ddeall.'

Fe ddaeth taw ar y drafodaeth yn y fan yna am fod y ddau wedi gweld, ar yr un eiliad, rywun yn brasgamu ar draws y cae tua'r Cerrig Mawr.

'Henderson ydy o, dwedwch?' Craffodd William Owen.

'Mei-lord 'i hun,' atebodd Benni Rees.

Rhaid bod Henderson wedi clywed y lleisiau yng ngwaelod y cae. Fe drodd, a brasgamu i lawr tuag atyn nhw.

'Noswaith dda ichi, Mistar Henderson,' galwodd William Owen yn fwynaidd cyn i'r dyn a'r olwg guchiog arno gael cyfle i ddweud gair cas.

Daeth Henderson yn nes cyn torri gair, yn rhythu i weld pwy oedd yno.

'Noswaith dda, Owen,' meddai'n sychlyd, ar ôl gweld. 'Rees.' Nodiodd yn gwta arno yntau. 'Oes rhywbeth o ddiddordeb arbennig ichi'ch dau yn nhir yr Hendre?'

Awgrym go bendant nad oedd arno eisiau llygaid busneslyd o gylch y lle.

'O na . . . dim, Mistar Henderson.' Llais William Owen yn fwynach fyth. 'Ar y ffordd i'r capel roeddwn i, a digwydd pasio Mistar Rees fan yma a chodi sgwrs . . . Hym . . . Dwedwch i mi, ydy . . . Misus Henderson yn gwella?'

'Yn raddol. Mi fûm yn 'i gweld hi ddoe.'

'O, mi fuoch? Yn 'i chynefin, mae'n debyg . . . yn . . . y . . .?'

'Trilling.'

'Ia, siŵr.'

'Mi symudais hi o ysbyty'r dre 'ma cyn gynted ag y medrwn i. Oes, mae tair wythnos 'nawr er pan ddigwyddodd y peth. Mae wedi bod fel tri mis i mi.'

'Ydy, reit siŵr,' cydymdeimlodd William Owen yn fedrus. 'Dydy'r cartre ddim yr un fath heb y feistres.'

Yn y fan hon fe dorrodd llais dwfn Benni Rees ar y sgwrs.

'Rydw i'n sylwi, Henderson, fod y gromlech wedi cael llonydd ar hyd y tair wythnos.'

'Y gromlech?' Trodd Henderson ei ben yn siarp. 'O, ie, mae gennoch chi ddiddordeb hanesyddol ynddi, Rees, on'd oes? Yn naturiol mae hi wedi cael llonydd. Ches i ddim amser i orffen y gwaith.'

'Chi, Mistar Henderson?' Chwilfrydedd cynnil yn

llais mwyn gŵr Y Ddôl. 'Ond roeddwn i dan yr argraff mai Thomas y Contractor—'

'Fe gafodd Thomas draed oer ar ôl codi'r garreg gynta. Peth òd na fyddai hynny'n wybodaeth gyhoeddus mewn ardal mor fusneslyd. Fe'i paciodd hi i fyny. Ar hyd fy oes welais *i* y fath nonsens.'

'Dydach chi rioed am fynd ymlaen â'r gwaith?' gofynnodd Benni Rees yn dywyll.

'Wrth gwrs 'mod i. Beth ydych chi'n feddwl ydw i? Mae arna i eisiau'r cae 'ma'n glir, o'nd oes?'

Roedd William Owen yn symud ei ambarél o arddwrn i arddwrn yn ei gyffro.

'Ond Mistar Henderson . . . os na wnaiff Thomas y gwaith ichi, pwy gwnaiff o?'

'Fe'i gwna i o fy hun.'

'Ych hun!'

Lledodd Henderson ei ysgwyddau mawr.

'Gan fod gennoch chi gymaint o ddiddordeb yn 'y musnes i, gyfeillion, rydw i'n mynd ati fory. Mae Gareth a finnau'n mynd i gloddio o gwmpas yr ail garreg, ac wedyn rydw i'n mynd i'w chwythu hi.'

''I chwythu hi!' Rhythodd William ar ben Henderson fel petai'n chwilio am gyrn.

'*Sapper* oeddwn i yn y rhyfel. Mi chwythais i fwy nag un bont yn ysgyrion ar y Cyfandir 'na. A phobol i'w canlyn nhw. Rydw i wedi bod yn ffodus i gael digon o jeli at y gwaith, er nad ydw i ddim yn dweud wrth bawb o ble. Fydd hon ddim yn ormod o job i mi.'

'Henderson.' Roedd rhew yn llais Benni Rees. 'Ydach chi ddim wedi rhyfygu digon bellach?'

'Rhyfygu?' Dechreuodd gwefusau Henderson grynu. 'Beth ydych chi'n feddwl, "rhyfygu"?' Daeth gam yn nes at y gamfa. 'Edrychwch yma, Rees. Mi fydda i'n ddiolchgar os cadwch chi'ch tabŵs cyntefig i chi'ch hun—'

'Does dim angen ichi golli'ch tymer—'

'Ond rydw i *yn* colli 'nhymer! Y bore 'ma mi ges lythyr oddi wrth ryw gymdeithas—Cymdeithas Hanes y Sir neu ryw ffwlbri tebyg—yn deall 'mod i wedi dechrau clirio'r tipyn cromlech 'ma ac yn erfyn arna i —yn erfyn arna i, os gwelwch chi'n dda—adael llonydd i'r peth. Mi es at y ffôn ar unwaith, ac ar ôl trio'r fan hyn a'r fan arall mi ges afael ar yr ysgrifennydd mewn rhyw swyddfa ym mherfeddion Neuadd y Sir 'na. Ac mi wnes iddo ddawnsio. "Edrychwch yma," meddwn i wrtho, "os ydy'r peth 'ma'n *Ancient Monument*, pam na fyddai wedi'i gofrestru fel *Ancient Monument* ers blynyddoedd, cyn imi brynu'r Hendre, ac wedi ffensio'n deidi o'i gwmpas, ac arwydd yn y ffordd yn cyfeirio ato?" O, roedd rhesymau am hynny: doedd y peth ddim mewn cyflwr digon perffaith, roedd y garreg lintel wedi mynd, a phob math o jargon hanesyddol. "Os felly," meddwn i, "mae gen i hawl i wneud beth fynna i â'r peth, a meindiwch ych hanesyddol fusnes!" '

'Diar annwyl!' ebychodd William Owen.

'A dyna, Rees, yr ydw i'n 'i ddweud wrth bawb. Ydy hynna'n glir ichi?'

Doedd tân Henderson wedi toddi dim ar rew Benni Rees.

68

'Yn berffaith glir, Henderson,' meddai, gan estyn bys a bawd i'w boced frest a thynnu allan ddalen o bapur. 'Gobeithio y medra i wneud hwn yr un mor glir i chitha.'

'Beth ydy o?'

'Roeddach chi'n dweud gynna,' meddai Benni'n bwyllog, 'fod carreg lintel y gromlech wedi mynd. Wel, dyma'r hanes, ar y tamaid papur yma. Copi wnes i y dydd o'r blaen o ddarn o hen lawysgrif. Digwydd galw yn y Llyfrgell Genedlaethol yn Aberystwyth, a gofyn oedd yno rywbeth o hanes y gromlech 'ma. Mi ddowd â rhyw hen femrwn imi—darn o gronicl, maen nhw'n meddwl, o ddigwyddiadau hynod yn y rhan ddeheuol o Wynedd o'r nawfed i'r ddeuddegfed ganrif—'

'Mae'n ddrwg gen i, Rees.' Chwifiodd Henderson ei ddwylo. 'Does gen i ddim amser i wrando ar ryw hen stwff—'

'Rydw i'n meddwl bod yn well ichi, Henderson.' Estynnodd Benni'r papur iddo. 'Doeddwn i ddim wedi bwriadu'i ddangos o ichi, a chitha yn ych gofid. Yn wir, roeddwn i'n gobeithio y bydda'r gofid wedi newid ych meddwl chi. Ond gan ych bod chi'n benderfynol o ddinistrio'r gromlech i gyd—'

'Ond fedra i ddim darllen hwn, ddyn!' Estynnodd Henderson y papur yn ôl. 'Ers pryd rydych chi'n meddwl 'mod i'n medru darllen Cymraeg? Beth ydych chi'n feddwl ydw i?'

'Ga i olwg arno fo, Benni?' gofynnodd William Owen, wedi hongian ei ambarél ar ffon ucha'r gamfa a gosod ei lyfr emynau wrth ei throed ac yn tynnu'i sbectol o'i chas lledr. Estynnodd Benni'r papur. Craffodd yr hen ŵr arno.

'Diar annwyl, mae hi wedi mynd yn rhy dywyll i weld . . . Rhoswch eiliad.'

Tynnodd fflachlamp o'i boced a'i goleuo ar y papur a dechreuodd fwmial darllen wrtho'i hun.

'Does gen i ddim mwy o amser i'w wastraffu—' Trodd Henderson i fynd.

'Henderson!' Roedd rhyw awdurdod iasol yn llais gŵr Sychbant a wnaeth i Henderson aros.

Roedd William Owen yn dal i fwmial yn llafurus a'r fflachlamp yn goleuo blaen ei drwyn yn ogystal â'r papur. Ar y darn papur, yn llawysgrifen osgeiddig Benni Rees, yr oedd y geiriau:

> 'Yn y flwyddyn honno hefyd y peris Iago ap Clud o Garn Pabo yng nghantref Dunoding symud y krwmlech y sydd yn y fro honno o ar i feini, ac y digwyddawd y maen ar i wyr ai lladd. Ac yn y nos y llosgawd tan y ty lle'r ydoedd Iago yn kyscu, ac y llas yntau ai wraig ai blant yn y tan.'

Ond cyn cyrraedd diwedd y darn roedd gŵr Y Ddôl wedi rhoi'r gorau iddi.

'Fedra inna mo'i ddarllen o chwaith, Benni Rees. Ydach chi'n dweud mai Cymraeg ydy hwnna?'

'Cymraeg Canol,' meddai Benni, gan gymryd y papur yn ôl. 'Peth ddysgais i i mi fy hun ers blynyddoedd bellach; er budd mawr imi, os ca i ddweud.'

'Felly,' meddai William Owen. 'Wel, nid dweud y mae hwnna fod y garreg fawr oedd ar ben y cerrig acw wedi syrthio ar y dynion oedd yn 'i symud hi?'

'Hynny'n union,' atebodd Benni. 'A bod y dyn roddodd y gorchymyn i'w symud hi, a'i deulu, wedi'u llosgi i farwolaeth yn ystod y nos.'

'Coel gwrach!' Poerodd Henderson yn ddirmygus i'r sofl.

Yn bwyllog, dododd Benni Rees y darn papur yn ôl yn ei boced frest. Ac yna, dweud yn ei fas cadarn,

'Credwch chi'r hyn fynnoch chi, Henderson. Yn yr unfed ganrif ar ddeg, Iago ap Clud. Yn y ganrif ddiwetha, Siôn Powel. Rydach chitha wedi cael un rhybudd. Os ewch chi 'mlaen â'r gwaith ddechreuson *nhw*, tybed beth sy'n mynd i ddigwydd i *chi*?'

Erbyn hyn yr oedd Henderson wedi cau'i ddyrnau mawr yn dynn, a'i ddwylath nerthol yn crynu uwch-ben y gamfa. Dywedodd yn isel fileinig,

'Ewch o olwg y lle 'ma ar unwaith, os gwelwch chi'n dda. O olwg yr Hendre ac o 'ngolwg innau. A pheidiwch â dangos ych wyneb yn agos i'r terfynau 'ma eto.'

'Y . . . ar unwaith, Mistar Henderson.'

Stwffiodd William Owen gas ei sbectol yn ôl i'w boced a bachu'i lyfr emynau a'i ambarél. 'Dowch, Benni.'

'Nos da ichi, Henderson.' Doedd dim brys na chryndod yn llais gŵr Sychbant. 'O hyn allan mae 'nghydwybod i'n glir.'

11

Fe ddechreuodd Henderson gloddio o gylch yr ail garreg fore trannoeth yn gynnar. Ac yn fileinig. Fel arfer, doedd geiriau sbeitlyd yn tarfu nac yn mennu dim arno. Byddai noson o gwsg neu newid gorchwyl yn clirio unrhyw ffrae neu ddiflastod yn llwyr o'i ben.

Heddiw, fodd bynnag, yr oedd yn teimlo'n ddwbl ffyrnig at y Cerrig Mawr oherwydd ymyrraeth haerllug y Benni Rees yna neithiwr. Bod hwnnw wedi mynd mor bell â thurio rhyw hen ddogfen ddwl yn y Llyfrgell Genedlaethol i olau dydd er mwyn ceisio rhwystro Bill Henderson i wella'i ffarm . . . roedd y peth yn gythreulig. A'r Gymdeithas Hanes yna wedyn. A llythyr arall y bore 'ma oddi wrth rywun yn ei alw'i hun yn 'archaeolegydd', hwnnw wedi clywed am y bygythiad i 'grair gwerthfawr a diddorol' ac yn gobeithio y gwelai'n dda 'atal ei law'. A dyn o Loegr oedd hwn. Fe fyddech yn meddwl y byddai Sais yn gallach ac yn credu mewn cynnydd.

Wel, os oedd y boblogaeth yn dechrau ymgrynhoi yn ei erbyn, fe gaen nhw weld. Doent yn ei erbyn i gyd, doent yn lluoedd, yn anwariaid lleol neu'n 'archaeol-egwyr' o bell, doedd arno ofn na dyn na diawl. Yr oedd wedi prynu'r tir hwn â'i arian gloywon ei hun—a benthyciad trwm, bid siŵr, ond fe dalai hwnnw'n ôl bob dimai—a doedd neb yn mynd i ddweud wrtho *fe*, Henderson, beth oedd yn werthfawr a beth oedd yn ddiwerth yn ei eiddo'i hun.

Mater braidd yn wahanol oedd y ffrae â Philips deirnos yn ôl. Arafodd rhaw Henderson yn y pridd pan gofiodd am honno. Roedd y milfeddyg wedi bod yn llym; yn wir, yn gacwn ulw o'i go. Roedd y ffôn yn ffrio gan ei huodledd tanllyd. Philips newydd oedd hwn; doedd Henderson ddim wedi dychmygu bod cymaint o fileindra tu ôl i'r wyneb glandeg siriol.

Posibl iawn ei fod yn fentrus yn gyrru'i gar i Trilling, lle'r oedd clwy'r traed a'r genau mor drwchus. Posibl iawn ei fod yn achosi pryder i Philips. Ond yr oedd wedi cymryd pob gofal. Ni fu ar fuarth unrhyw ffarm nac ar lôn yn arwain at ffarm. Doedd ganddo ddim i'w ofni. Roedd y *vet* yn gwneud môr a mynydd o beth bychan iawn. Ac am yr awgrym haerllug y dylai Jean fod wedi llyncu'i hiraeth a bodloni lle'r oedd hi, yn y 'sbyty lleol diwerth—pwy oedd Philips i awgrymu'r fath beth? Pa hawl oedd gan ffariar i ddoethinebu ar seicoleg neu gynaecoleg neu unrhyw -oleg arall y tu allan i'w faes ei hun? Fe ddywedodd Henderson hynny wrtho hefyd. O, do, yn blaen iawn. Mewn geiriau eraill, dweud wrtho am feindio'i ferlod a'i bŵdls a gadael i ddynion yn eu hoed a'u hamser ofalu am eu gwragedd fel y gwelen nhw orau. A dyna roi caead ar biser hwnna!

Dechreuodd rofio'r pridd o'r twll yn ffyrnicach. Trawodd ei bâl yn erbyn clai caled. Taflodd hi ac estyn am ei gaib. Caib dda oedd hon. Â phob dyrnod roedd e'n hollti pennau'n agored: pen pob 'archaeolegydd' busneslyd a Benni Rees, Sychbant, a Philips y *vet* a William Owen beiblaidd ambarelog Y Ddôl . . .

Sythodd ei gefn a galw rownd y garreg:

'Sut mae'n dod, Gareth? Ydy'r twll yn tyfu?'

'Ydy, Mr. Henderson.'

Rhyw 'ydy' go wangalon oedd hwnna hefyd. Roedd y miri busneslyd a siarad pobol yn effeithio ar y llanc. Gorau po gynta i orffen y job yma felly. Edrychodd Henderson i'r twll dan ei draed ac yna ar y garreg gennog uwchben. Poerodd i'w hystlys hi. Fyddi di ddim yma'n hir eto, y gnawes hyll! Fe fydd yn bleser dy weld di'n ysgyrion mân a hel dy weddillion di oddi yma yn y drol. A dy ddwy bartneres di hefyd. Mi wnewch wal sych reit dda—yn rhywle arall! Rhywle digon pell o'r Hendre . . .

Hanner awr arall ac fe benderfynodd Henderson ei fod wedi turio digon. Roedd bôn y garreg i'w weld, a phantle reit dda dani i osod y deunydd ffrwydrol.

'Reit, Gareth! Dyna ddigon, rydw i'n credu.'

Dim ateb.

'Gareth?'

Gwrandawodd. Doedd dim sŵn caib na rhaw o'r tu arall i'r garreg. Dringodd Henderson o'r twll a chamu draw i edrych. Roedd y bachgen yno, ond yn rhythu'n fud ar rywbeth yn y twll wrth ei draed, wedi fferru yn ei unfan fel cwningen wedi'i pharlysu gan wenci.

'Gareth? Beth sy'n bod?'

Yn ateb, estynnodd y llanc fys crynedig a phwyntio tua'r twll. Edrychodd Henderson. Yno yn y pridd, ar bwys y rhaw yr oedd y llanc yn amlwg wedi'i gollwng ar frys, yr oedd penglog dyn.

'Penglog . . .' Dechreuodd Henderson biffian chwerthin.

'Mae o'n edrych arnon ni,' meddai Gareth, ei lais wedi fferru fel ei wyneb. 'Welwch chi? Mae o'n . . . rhythu arnoch chi a finna—'

74

'Nonsens!' rhuodd Henderson. 'Does ganddo ddim llygad i rythu—'

'Pwy bynnag oedd o, mae o'n gweld ni. Mi wn 'i fod o.' Crynodd y bachgen drwyddo, a chodi'i lais. 'Edrychwch ar 'i ddannedd o, 'i wên sbeitlyd o . . . Fedra i mo'i ddiodda fo, fedra i ddim!'

'Taflwch bridd drosto,' meddai Henderson.

'Na wnaf. Chymerwn i mo'r byd am daflu pridd dros wyneb neb—'

'Dowch i mi afael ar y rhaw 'na.'

Disgynnodd Henderson i'r twll, cipio'r rhaw a thaflu rhawiaid dda dros y benglog. Ond wrth wneud hynny—

'Esgyrn!' gwaeddodd Gareth. 'Esgyrn dynion!'

Trodd Henderson i edrych. O gwmpas ei draed yr oedd nifer o esgyrn: asgwrn braich a choes, efallai, asennau . . .

'Alla i ddim aros yn y lle melltigedig 'ma!' llefodd Gareth. 'Ddim munud yn hwy, alla i ddim!'

A dechreuodd redeg.

'Gareth!'

Ond roedd y llanc yn mynd nerth ei draed am yr adwy.

'Gareth, arhoswch, damio chi!'

Ond yn ofer. O fewn llai na munud yr oedd Henderson ar ei ben ei hunan ar y cae mawr yng nghesail tywyll yr adfeilion. Crawciodd brân yn rhywle. Rhedodd cryndod o wynt drwy'r sofl. Ac yna, tawelwch llethol.

'Felly. Un arall wedi cael traed oer. O wel, fe fydd rhaid i Henderson orffen y gwaith 'i hunan.'

Aeth dros gamau'r ffrwydro yn ei feddwl. Y pecyn jeligneit . . . ffiws . . . ffrwydrydd . . . Roedd popeth wrth yr adwy'n barod, yn yr olgert. Ond cyn cychwyn i'w mofyn fe blygodd i'w gwman a chwilio yn y pridd am y benglog. Fe'i cafodd, a'i chodi. Gwenodd o glust i glust. Dim ond ei glanhau . . . tipyn o bolish, hwyrach . . . fe gâi hwyl gyda hon.

Casglodd y ceibiau a'r rhawiau a'u rhoi dros ei ysgwydd, a'u cario, gyda'r benglog, tua'r adwy.

Rhyw ugain munud yn ddiweddarach rhwygwyd yr awyr gan y ffrwydrad mwya nerthol a glywsai'r ardal, yn siŵr, ers amser maith. O ddiogelwch yr adwy, yn fawr ei foddhad, gwyliodd Henderson y garreg fawr yn codi o'i soced yn y ddaear, yn chwalu, ac yn disgyn yn fil o ddarnau mewn cwmwl o bridd a llwch i'r ddaear.

'Go dda, *Sapper* Henderson,' meddai wrtho'i hun.

Roedd arno awydd cinio. Fe ddôi'n ôl yn y prynhawn i glirio gweddillion y garreg. Dringodd ar sedd y tractor, tanio'r peiriant, ac i ffwrdd ag e tua'r tŷ dan chwibanu.

Wrth nesáu at y tŷ fe welodd yr heffrod yn pori ar ymyl y ffordd drol. Daliwyd ei lygad gan un ohonyn nhw, yn sefyll yn bendrwm hurt yn lle pori fel y lleill. Arafodd ei dractor, a sefyll. Disgynnodd o'i sedd, a mynd i gael golwg fanylach . . .

Cyn iddo'i chyrraedd fe symudodd yr heffer. Roedd hi'n gloff. Rhoddodd stumog Henderson dro. Wrth gwrs, fe allai llawer o bethau achosi cloffni . . . Yna fe drodd yr heffer ei phen tuag ato. Sylwodd ar y drefl yn diferu o'i gweflau, ac ar y gweflau . . . doedd dim amheuaeth . . . yr oedd swigod. Cythrodd ati a'i dal, ac agor ei cheg. Roedd ei thafod yn bothelli i gyd.

Gollyngodd hi, a chilio'n araf wysg ei gefn oddi wrthi. Dilynodd llygaid yr anifail ef, llygaid clwyfus, arswydus drist, fel petaen nhw'n ei gyhuddo . . . Ond o beth? Duw annwyl, doedd e wedi gwneud dim o'i le; dim byd.

Meddyliodd yn gyflym. Doedd dim sicrwydd o gwbwl mai'r clwy oedd hwn . . . fe allai fod yn unrhyw beth. Roedd yn wrthun meddwl bod olwynion ei gar wedi cludo'r feirws yma bob cam o Trilling; roedd y peth yn chwerthinllyd. Trodd ei lygad ar yr heffrod eraill. Roedden nhw'n pori'n ddiddig bob un. Dim ond hon . . . dim ond cael gwared â hon rhag i unrhyw lygaid busneslyd ei gweld hi, fyddai neb ddim callach. Dyna'r ateb. Fe âi i'r tŷ ar unwaith i nôl y dryll. Ei saethu hi, ei chladdu hi, a byddai popeth drosodd. Dim angen i Philips ddod i fusnesa. Dim angen i neb wybod dim.

Ond yna fe ddaliwyd ei lygad gan rimyn disglair yn y borfa. Cerddodd tuag ato. Drefl yr heffer afiach. Llinyn ohono'n rhedeg yn fylchog am droedfeddi, ac un arall o'r heffrod y funud hon yn sefyll arno ac yn pori'r glaswellt gwenwynig. Gwibiodd llygaid Henderson hwnt ac yma o heffer i heffer—ei stoc olygus, raenus, goreuon yr ardal . . . Ym mha sawl un ohonyn nhw yr oedd y feirws dieflig eisoes? Dwy? Tair? Pob un?

Ond doedd dim sicrwydd mai'r clwy oedd hwn. Dim sicrwydd o gwbwl. Fe gymerai Philips sbesimen i'r lab, ac fe allai fod yn negyddol. Fe *fyddai*'n negyddol, roedd Henderson yn siŵr o hynny. Rhywbeth arall oedd ar yr heffer druan dlawd. Rhyw glefyd na wyddai ef amdano. Allai clwy'r traed a'r genau ddim taro'r Hendre. Roedd ei ewyllys e, Henderson, yn ddigon cryf i atal y felltith.

Dringodd yn ôl i sedd ei dractor, a chwyrnellodd tua'r tŷ.

Wrth lwc, roedd Philips gartre, ar ganol ei ginio, ond heb lawer o frys, yn amlwg, i ddod at y ffôn. Pan ddaeth, o'r diwedd—

'Hylô 'na? Philips? O, Henderson yma. Gobeithio nad ydych chi ddim dicach ar ôl y tipyn geiriau fu rhyngddon ni y noson o'r blaen? Yn well ar ôl gollwng stêm, efallai? He! He! Pam rydw i'n ffonio? O, dim byd o bwys. Dim achos pryderu o gwbwl. Rhywbeth sy ar un o'r heffrod bach 'ma, a meddwl efallai y gallech chi alw heibio rywbryd . . . unrhyw bryd pan fydd hi'n gyfleus i chi . . . '

12

'Rydw i'n dweud wrthat ti, Marian, a' i byth yn ôl yno. Byth!'

Fe dynnodd Marian ei chot yn dynnach amdani a rhythu mewn syndod ar y bachgen ar y clawdd yn crio'i galon allan. Fe wyddai fod rhywbeth o'i le pan alwodd Gareth amdani a hithau'n golchi'r llestri godro, ac fe wisgodd ei chot ar unwaith a mynd gydag o 'am dro bach'. Ond wnaeth hi ddim disgwyl clywed y fath stori â hon. A doedd ganddi ddim syniad beth i'w wneud na'i ddweud. Fe wyddai nos Sul fod rhyw ofn rhyfedd ar y bachgen, fod y Cerrig Mawr wedi codi rhyw ffobia afresymol arno. Ond penglogau ... bwganod ... Twt lol.

'Wn i ddim be i' ddweud, Gareth.'

Fe wyddai'i bod hi'n swnio'n sychlyd galed, ond felly, a bod yn onest, yr oedd hi'n teimlo. Trodd Gareth bâr o lygaid gwylltion arni, yn llawn dagrau a dychryn. Doedd arni ddim llai na'i ofn. Synnai hi ddim nad oedd o'n mynd o'i go. Roedd hi wedi clywed am bobol yn mynd o'u coeau, a rhyw olwg wyllt, golledig fel hyn oedd arnyn nhw, yn ôl y sôn.

'Marian ... mi ofynnist imi y noson o'r blaen oeddwn i'n dy garu di. Rydw inna'n gofyn i titha rŵan.'

'Yn gofyn be?'

'Wyt ti'n 'y ngharu i, Marian?'

Wel, roedd hynny'n gwestiwn. Roedd hi *yn* caru'r llanc cryf, bochgoch, penfelyn oedd yn bictiwr o iechyd ac yn llawn pryfôc a chwerthin. Ond rhyw glwtyn gwlyb fel hwn, yn gweld bwganod ac yn mynd o'i go ... Oedd hi'n bosibl caru rhywun felly? A fyddai'n ddoeth ei garu o?

'Marian, wnei di f'ateb i?'

'Pam?'

'Am fod arna i isio bod yn siŵr. Isio bod yn siŵr o *rywun*. Mae pob dim fel tasa fo'n chwalu ... ar ôl beth welais i heddiw, mae'n rhaid imi ... gael rhywbeth i gydio yno fo. Marian bach ...'

Cododd oddi ar y clawdd a rhoi cam tuag ati.

'Na!'

Ciliodd hi'n ôl. Roedd hyn yn frawychus. Roedd o'n *edrych* yn ddigon diniwed; posibl ei *fod* o'n ddiniwed, ond sut y gallai hi ddweud?

'Pam nad ei di i siarad efo dy fam, Gareth? Isio'i fam sy ar rywun pan fydd o . . . wedi dychryn. Yntê?'

Fe roddai gynnig arni fel'na, reit garedig. Siglo'i ben wnaeth o, a dweud,

'Dydw i ddim yn leicio poeni gormod ar Mam. Mae hitha reit ofnus er pan fuo 'Nhad farw mor sydyn llynedd. Roeddwn i'n meddwl y gallwn i siarad efo *chdi*, Marian.'

O'r tad. Roedd o'n swnio'n reit synhwyrol rwan, ac roedd hithau mewn picil. Ond doedd hyn ddim yn deg chwaith: disgwyl cael arllwys ei ofidiau arni hi a phwyso arni, a hithau mor ifanc. *Hi* ddylai gael pwyso arno *fo*—

'Ti'n gweld, Marian, rwyt ti'n gall ac yn gry ac yn gwybod dy feddwl . . . Neu beth bynnag, fel'na roeddwn i'n meddwl amdanat ti . . . Efalla 'mod i'n rong . . .'

A dyna fo'n dechrau igian crio eto.

Rhwygwyd Marian rhwng tosturi a dirmyg. Ond roedd hon yn sefyllfa amhosibl. Oedd, roedd hi *yn* gall ac yn gryf ac yn gwybod ei meddwl—o fewn rheswm a phan oedd popeth yn normal ac yn hwyl. Ond doedd hi ddim yn barod am bwysau fel hyn—eto.

'Rydw i'n meddwl bod yn well iti fynd adre, Gareth. Fe gawn ni sgwrs rywbryd eto . . . pan fyddi di'n teimlo'n well.'

Edrychodd arni'n druenus.

'Cha i ddim . . . ddim cyffwrdd ynat ti?'

'Ddim heno. Be wnei di rŵan, a thitha wedi gadael yr Hendre? Mynd ar y dôl?'

Cyn gynted ag y dywedodd hi hynny fe sylweddolodd ei bod wedi troi'r gyllell greulona 'rioed yn y briw.

'Doeddwn i ddim yn meddwl hynna,' meddai hi'n frysiog. 'Mi ffeindi di waith—'

'Wnes i . . . wnes i ddim meddwl am y peth,' atebodd yntau. 'Fedrwn i ddim meddwl am ddim byd tu draw i heno. Dim ond cael dy weld di, a chael siarad . . . Na fydd, wrth gwrs, fydd arnat ti ddim isio hogyn sy ar y dôl—'

'Gareth, paid â bod yn wirion—'

'Nos da, Marian. Mae'n ddrwg gen i 'mod i wedi dy boeni di.'

'Gareth, aros . . .'

Ond roedd Gareth wedi'i lyncu gan y nos.

13

Wedi clywed y sibrydion yn y Llan y prynhawn hwnnw roedd yn amhosibl i Benni Rees gadw o olwg yr Hendre. I gerddwr mor fawr doedd y daith i'r Hendre ar ôl swper cynnar yn ddim. Ac roedd hi'n noson braf, a snap rhew hydref cynnar yn miniogi'r awyr yn hyfryd. Noson i fynd am dro.

Pan ddaeth at lidiart y lôn oedd yn arwain at yr Hendre fe welodd nad fo oedd y cyntaf yno. Cyfle am sgwrs felly. Da iawn. Roedd gŵr Sychbant mewn cywair cymdeithasol heno, beth bynnag. Yn enwedig pan welodd mai'r dyn wrth y llidiart oedd y Cwnstabl Jenkins.

Dyn bach mewn corff mawr: dyna farn Benni Rees am y Cwnstabl Jenkins. Ac fel pob dyn bach mewn awdurdod, yn methu anghofio'r awdurdod hwnnw hyd yn oed pan nad oedd galw amdano. Cilwenodd gwefusau meinion Benni Rees wrth nesáu at y llidiart.

'Noswaith dda, Cwnstabl.'

Trodd y Cwnstabl ei ben a hanner ucha'i gorff yn bwyllog iawn.

'Noswaith dda i chitha.'

'Mae'n rhyfedd gweld plisman yn gardio giât yr Hendre.'

'O, dim ond cadw llygad, wyddoch. Dydy ddim yn debyg y ca i lawer o drafferth efo neb.'

'Gobeithio, wir. Ydach chi i fod i rwystro pobol rhag mynd a dwad o'r Hendre?'

'Cweit so.' Nodiodd yr helmet yn osgeiddig. 'Rhag ofn i'r feirws ddengid o'r Hendre 'ma 'ntê.'

'Felly, wir.' Craffodd Benni Rees arno'n bengam. 'Dwedwch i mi, sut y byddech chi'n nabod y feirws petaech chi'n 'i weld o?'

Gwelodd wyn y llygaid awdurdodol.

'Dydy o ddim yn fater cellwair, Benni Rees.'

'Rydach chi'n 'y nghamddeall i, Jenkins. Dydw i ddim yn ddyn cellweirus.' Edrychodd Benni dros y llidiart a gweld, yn y gwyll, y llathenni sgwâr o wellt wedi'i drochi mewn diheintydd a'i bentyrru ar draws ceg y lôn. 'Dwedwch i mi, pryd mae ffariars y Wein-yddiaeth yn dod i saethu anifeiliaid yr Hendre?'

'Dydyn nhw ddim yn siŵr eto ydy'r clwy yma ai peidio.'

'Na hidiwch beth maen *nhw* hollalluog a hollwybodol yn 'i feddwl yn 'u labordai. Cymerwch o gen i: mae'r clwy yn yr Hendre.'

'Felly,' meddai'r swyddog yn hyfflyd. 'Pwy sy'n hollwybodol rŵan? Sut y medrwch chi ddweud heb wybod risylt yr analysis?'

'Risylt yr analysis.' Tynnodd gŵr Sychbant anadl ddofn. 'Un o adnoda mawr yr ugeinfed ganrif. Trydedd salm ar hugain beibil anffaeledig y gwyddonwyr.'

'Rŵan, cymerwch chi bwyll, Benni Rees. Mae hwnna'n swnio'n debyg iawn i gabledd.'

'Cabledd yn erbyn pwy? Yn erbyn yr Orsedd Wen, ne' yn erbyn y Got Wen? Na, dydw i ddim uwchlaw cablu weithia, mae arna i ofn. Ond does gen i ddim llawer o ofn cablu ar air wedi gweld y fath gablu ar weithred yn yr ardal 'ma. Pe bawn i'n mynd i fynwent Pabo Fach ac yn agor bedd ne' ddau mi fyddech chi, Jenkins, a'r Gyfraith i gyd am 'y ngwaed i. Ond mae'r Henderson acw'n cael llonydd gynnoch chi i ffrwydro claddfa gyfan oedd yn gysegredig cyn bod Eglwys Gristionogol mewn bod.'

'Mae Henderson wedi cadw ar yr ochr iawn i'r gyfraith.'

'I'ch cyfraith *chi*, ydy.' Stwffiodd Benni Rees ei freichiau hirion yn ddwfn i bocedi'i got fawr a syllu tua'r Hendre. 'Ond mae 'na gyfraith arall. Chaiff o ddim dianc. Mi gafodd un anffawd pan gododd o'r garreg gynta. Mae'r anffawd newydd 'ma wedi dod arno am chwythu'r ail. Dydy'r rhai sy'n gorwedd dan

Gerrig Mawr yr Hendre ddim mor farw ag y mae o'n meddwl.'

Trodd y Cwnstabl yn araf a syllu'n ddifrifol arno.

'Ydach chi'n peidio bod wedi studio gormod ar ryw hen lyfra, Benni Rees? Petaech chi fel fi, yn credu nad ydy Henderson yn gwneud dim byd gwaeth na symud swp o hen gerrig trafferthus, fydda'r peth ddim yn blino llai arnoch chi? Mm? Ydy ddim yn ddigon i ddyn fynd drwy'r byd ora gall o, heb foddro'i ben am yr hyn *oedd* a'r hyn *fydd* a'r hyn *ddyla fod*—petha na all o wneud dim yn 'u cylch nhw?'

Tro Benni Rees oedd syllu'n awr. Roedd gan y Cwnstabl fwy o ddawn dweud nag yr oedd o wedi meddwl. Doedd y corff mawr ddim mor wag wedi'r cwbwl.

'Rydach chi'n iawn fanna, Jenkins. Po fwya mae dyn yn 'i wybod am fywyd a gwreiddia bywyd, lleia'n y byd y gall o'i fwynhau ar fywyd 'i hun. Fel y dwedsoch chi, mi fyddwn i'n hapusach dyn heno petawn i'n gwybod dim am hanes nac yn malio dim am gysegredigrwydd petha hen. Fydda anfadwaith Henderson yn blino dim arna i wedyn.'

'Cweit so.' Sgwariodd y Swyddog ei sgwyddau.

'Ond.' Cododd Benni Rees fys rhybuddiol. 'Mae gan y dyn anwybodus ac anneallus 'i gyfrifoldeb hefyd. Mae rhaid iddo barchu'r petha nad ydy o *ddim* yn 'i deall. Ac fe all y tipyn parch hwnnw 'i arbed o rhag 'i ddinistrio'i hun. Petai pob Henderson yn y byd 'ma'n gadael llonydd i'r petha sy tu hwnt i'w ddirnadaeth o, mi fydda'r byd 'ma'n ddiogelach lle.'

'Posib.' Nodiodd yr helmet, yn amlwg yn dechrau colli diddordeb. 'Posib.'

'Wel.' Trodd Benni Rees i fynd. 'Nos da ichi, Jenkins. A marciwch chi beth ydw i'n 'i ddweud. Mi fydd 'na saethu yn yr Hendre 'ma fory.'

Sugnodd y Cwnstabl y gwynt drwy'i ddannedd. 'Mi gawn ni weld, Benni Rees. Mi gawn ni weld.'

14

Doedd Marian erioed wedi poeni cymaint. Er pan adawodd Gareth hi echnos, â'i 'Nos da' dolurus, roedd hi wedi clywed y 'Nos da' hwnnw yn ei chlustiau lawer gwaith y dydd ac yn ei gwely'r nos.

A heddiw, roedden nhw'n amau clwy'r traed a'r genau yn yr Hendre. 'Y dyn anystyriol 'na'n temtio Rhagluniaeth,' meddai'i thaid, William Owen, ganol dydd. 'Ac yn peryglu bywoliaeth pob un ohonon ni,' meddai'i thad, yn fwy dig nag yr oedd hi wedi'i glywed odid erioed.

I ffermwyr yr ardal heddiw, Henderson yr Hendre oedd y dihiryn penna'n bod. Roedd gwahaniaeth barn ynglŷn â'i waith yn symud y Cerrig Mawr. 'Yr estron digywilydd yn newid wyneb yr ardal,' oedd barn rhai; 'I fusnes o ydy o,' meddai'r lleill. Ond doedd dim gwahaniaeth barn ynglŷn â'i deithiau beiddgar i fro'r clwy yn Sir Gaerloyw. Ni allai neb o ffermwyr Carn Babo faddau hynny.

Ac roedd Marian wedi bod yn meddwl o ddifri. Doedd ryfedd fod Gareth yn y fath stad echnos. Os dyn fel'na oedd ei fistar Henderson—a doedd Gareth erioed wedi achwyn arno wrthi hi; ddim llawer, beth bynnag—ac os *oedd* rhyw felltith ar yr Hendre, doedd ryfedd fod llanc normal, bochgoch yn torri i lawr. Fe fyddai lle fel'na, a mistar fel'na, yn ddigon i dorri unrhyw un.

Ac roedd hithau wedi gwrthod ei helpu. Roedd arni ofn, mae'n wir—roedd unrhyw newid sydyn fel'na mewn person cyfarwydd yn ddigon i godi ofn—ond fe ddylsai hi fod yn gryfach ac yn gallach. P'un a oedd hi'n caru'r bachgen ai peidio—doedd hi ddim yn siŵr o hynny eto—roedd o wedi dod ati hi am help ac roedd hi wedi gwrthod ei helpu.

Nid un i bendroni'n hir oedd Marian. Roedd diwrnod a dwy noson o hel meddyliau'n eitha digon. Aeth i molchi a rhoi tipyn o bowdr a minlliw, trawodd ei chot amdani, a cherddodd allan at y beudy lle'r oedd ei thad yn rhoi blawd ym mhresebau'r gwartheg yn barod at odro.

'Dad, ga i fenthyg y fan?'

'I be, 'mach i?'

'Isio gweld Gareth.'

'Ei di ddim i'r Hendre?'

'Fydd dim rhaid imi. Mae Gareth wedi gadael y lle ers deuddydd.'

'Wedi gadael?' Cododd Richard Owen ei ben o'r gist flawd. 'Be mae o'n neud rŵan 'ta?'

'Dyna sy arna i isio wybod.'

'O'r gora 'ta. Paid â bod allan yn hwyr.'

'Fydda i ddim. Diolch.'

Roedd y ffordd yn rhy gul a throellog a Marian yn yrrwr rhy ofalus i baratoi 'anerchiad' wrth fynd. Ond doedd dim angen. Y cwbwl yr oedd rhaid ei ddweud oedd, 'Mae'n ddrwg gen i.' Fe allai gweddill y sgwrs ofalu amdani'i hun.

Arafodd y fen yng ngolwg y bwthyn lle'r oedd Gareth yn byw gyda'i fam weddw. Daeth lwmp i wddw Marian wrth sylwi mor dwt oedd yr ardd ac mor wyn oedd y gwyngalch ar y bwthyn ac mor ffres oedd y paent glas golau ar y drws ac ar fframiau'r ffenestri. Gwaith Gareth oedd hynny i gyd. Os dim ond bwthyn ar rent oedd ganddyn nhw, roedd Gareth wedi gofalu'i fod yn edrych yn rhywbeth gwell. Tlawd a balch? Balchder o'r math iawn, beth bynnag.

Munud neu ddau arall, ac roedd Marian yn curo ar y drws. Nocer pres gloyw trwm, yn sgleinio fel newydd er ei fod mor hen. Roedd gan Mrs. Roberts, mam Gareth, ei balchder hefyd.

Ond doedd neb yn dod i ateb. Cydiodd Marian eto yn y nocer pres a churo'n drymach. Toc, dyna sŵn drws yn agor i mewn yn y tŷ. Ond pwy bynnag oedd yn dod, roedd o'n hir iawn.

O'r diwedd fe agorwyd y drws. Mam Gareth oedd yno. Syllodd Marian arni mewn dychryn. Gwraig fach lwydaidd a gwanllyd yr olwg oedd hi bob amser, ond doedd Marian erioed wedi'i gweld hi'n edrych fel hyn. Roedd ei hwyneb bron cyn wynned â lliain, a'i llygaid yn goch ac wedi chwyddo gan grio. Ddywedodd hi'r un gair. Dim ond syllu ar Marian.

'O . . . hylô, Mrs. Roberts. Ydy . . . ydy Gareth yma?'

Siglodd Mrs. Roberts ei phen.

'Nac ydy. Fu o ddim yma er bora ddoe.'

Collodd calon Marian un curiad. Bu agos iddi droi a rhedeg am y fen. Ond fe gafodd blwc i ofyn,

'Ble mae o?'

Siglodd Mrs. Roberts ei phen eto.

'Wn i ddim.' Ymhen tipyn fe chwanegodd, 'Mi gododd bora ddoe a rhoi crys glân a chwpwl o betha yn 'i fag, a dweud 'i fod o'n mynd i'r dre i chwilio am waith. Mi ddwedodd wrtha i . . . am beidio'i ddisgwyl o'n ôl . . . am rai dyddia.'

Fe lanwodd y llygaid cochion â dagrau. Agorodd Marian ei cheg i ddweud rhywbeth, a'i chau drachefn. Doedd ganddi ddim i'w ddweud. Yn y man, dyma Mrs. Roberts yn gofyn.

'Welsoch *chi* o?'

Beth yn y byd ddywedai hi 'nawr?

'N . . . naddo. Ddim . . . ddim er echnos.' Ac yna fe lifodd geiriau i flaen ei thafod. 'Mrs. Roberts, liciech chi i mi fynd i'r dre i chwilio amdano fo? Mae'n rhy hwyr heno, ond . . .'

Ni symudodd Mrs. Roberts ei phen, na thynnu'i llygaid oddi ar yr eneth.

'. . . mi a' i fory,' gorffennodd Marian.

'Chi sy'n gwybod,' meddai mam Gareth.

Crynodd Marian. Petai corff marw'n medru siarad, llais fel yna a ddôi ohono, roedd hi'n siŵr.

Fe fethodd â dal yn hwy. Trodd, a brysio'n ôl i'r fen. Gwthiodd yr allwedd danio i'w hic, ond heb ei throi. Eisteddodd yno, a'i phen yn berwi. Tybed ai i'r dre yr oedd Gareth wedi mynd? Tybed nad i daflu'i fam oddi ar y trywydd yr oedd wedi dweud hynny? Beth petai rhywbeth gwaeth, llawer gwaeth, wedi digwydd?

Trodd yr allwedd danio a goleuo'r lampau ystlys. Oni bai'i bod wedi addo i'w thad na fyddai allan yn hwyr, fe âi i'r dre ar ei hunion 'nawr. Ond addewid oedd addewid.

Sylweddolodd cyn hir nad oedd hi'n gyrru tuag adre. Doedd hi ddim wedi cysidro i ble'r oedd hi'n mynd. Roedd hi ar y ffordd oedd yn arwain heibio i'r Hendre. Pam? Beth oedd yn ei thynnu tuag yno, a hithau wedi addo i'w thad nad âi hi ddim i'r Hendre chwaith?

Wrth dynnu at lidiart y lôn oedd yn arwain at yr Hendre fe sylwodd fod yno fen neu ddwy wedi'u parcio, a dau neu dri o geir. Roedd y Cwnstabl Jenkins yno, a phlisman arall, a rhyw ddynion diarth. Gwelodd glwt mawr o wellt gwlyb wedi'i daenu ar draws y ffordd a chlywodd olwynion y fen yn sïo drwyddo.

Wnâi hi ddim aros. Doedd Gareth ddim yma'n siŵr, a chynifer o bobol o gwmpas. Doedd hwn ddim yn lle i aros. Gyrrodd yn araf heibio i'r cwnstabliaid a'r cerbydau a chlywed teiars y fen yn sïo eto drwy dwmpath arall o wellt wedi'i drwytho mewn diheintydd. Yna fe ddaeth at y gamfa lle'r oedd Gareth a hithau wedi sefyll a gwasgu'i gilydd sawl noson. Nosweithiau melys, dibryder . . .

Stopiodd y fen, ond fe benderfynodd nad âi hi ddim allan. Ni châi'i hesgidiau gyffwrdd â'r ffordd beryglus yma. Agorodd y ffenest a syllu drwyddi ar y llechwedd gyferbyn lle'r oedd y Cerrig Mawr. Yn hytrach, lle *bu*'r Cerrig Mawr. Dim ond un oedd ar ôl, a honno'n sefyll fel pric anghynnes yn erbyn yr awyr lwydolau.

Merch ddi-dymer oedd Marian, ond wrth edrych rŵan tua gweddill Cerrig Mawr yr Hendre fe'i sgytiwyd hi gan gynddaredd hollol newydd iddi. Fan acw'r oedd y drwg. Y peth ddigwyddodd acw oedd wedi dod rhyngddi hi a Gareth, wedi'i rwygo fo a'i hysgwyd hithau.

Acw'r oedd y felltith.

Yna fe ddisgynnodd sŵn ar ei chlyw. Sŵn ergyd. Ac un arall. Ac un arall wedyn. Clecian gynnau ar fuarth yr Hendre neu mewn cae cyfagos. Ac ar ôl yr ergyd olaf, tawelwch llethol hir.

15

Tynnodd Philips y ddwy getrisen wag o'i ddryll a'i gau. Taflodd gipolwg tua'r lle'r oedd Jac Huws a'i ddynion yn cadwyno'r cyrff ac yn eu llusgo tu ôl i'r tractor tua'r twll mawr oedd wedi'i agor ar eu cyfer, i'w claddu cyn i adar y nefoedd a phryfed ddod i bigo a chrafu ar eu crwyn a chario'r haint dros y coed a'r cloddiau i ffermydd cyfagos.

Am funud, ar derfyn y diwrnod enbyd hwn o waith, fe deimlodd Philips yn benysgafn. Y tawelwch, efallai, ar ôl i'r gynnau dewi. Neu'r arogleuon brwmstan a diheintydd yn llwyth yn yr awyr. Neu, efallai, ddim ond diflastod.

Cychwynnodd tua'r tŷ. A'i bwys ar lidiart y buarth, a'i wyneb fel wyneb delw yng ngolau'r lampau o'r cae, safai Henderson. Ni newidiodd ei wyneb, ni symudodd ei lygaid hyd yn oed, wrth i Philips agosáu.

'Mae popeth drosodd, Henderson. Mae'n ddrwg gen i.'

'Wedi saethu'r cwbwl?'

'Y cwbwl. Does gynnoch chi na buwch na dafad na mochyn na'r un creadur arall ar y lle. Ond codwch ych calon. Fe gewch bris y farchnad amdanyn nhw.'

'Caf, siŵr. Mi ga i bris y farchnad.'

Roedd y chwerwder yn enbyd i'w glywed.

'Wel,' meddai Philips, 'diolchwch nad ydach chi ddim yn colli buches bedigri y buoch chi flynyddoedd yn 'i magu. Mi wn i am rai gafodd golled felly.'

'Mi gollais i fab hefyd, ydych chi'n cofio?'

Rhythodd Philips ar yr wyneb delw.

'O, do. Mae'n ddrwg gen i. Rydach chi'n . . . siŵr mai mab fydda fo, petai . . .?'

'Mab *oedd* o.'

Tynnodd Henderson ei bwysau oddi ar y llidiart a dweud,

'Dowch i'r tŷ.'

Petrusodd Philips. Adre y carai fynd ar unwaith, i fwrw'i flino a'i ddiflastod. Ond gorchymyn yr oedd Henderson wedi'i roi, nid gwahoddiad. Dilynodd y dyn yn drwm ei galon. Golchodd ei fwtsias yn y bath o ddiheintydd wrth y drws, a'u tynnu oddi am ei draed yn y cyntedd.

Aeth Henderson yn syth am y botel whisgi ar y seid-bord. Heb ofyn, estynnodd lasaid i Philips.

'Diolch. Alla i ddim dymuno iechyd da heno'n hawdd, alla i? Ie, wel, mae'n anodd deall pam y mae'r petha 'ma'n digwydd i rai; pam yr ydach *chi* wedi cael dwy ergyd mor drom mor agos i'w gilydd.'

Llyncodd Henderson ei lasaid whisgi ar ei dalcen, sychu'i geg â'i lawes, a dweud,

'Fe wyddoch yr ateb i hynna.'

'Yr ateb?' meddai Philips. '*Oes* 'na ateb?'

Wrth arllwys joch arall o'r botel dywedodd Henderson,

'Fe ofynsoch imi'ch hunan, cyn imi ddechrau symud y Cerrig Mawr, oeddwn i am fynd ymlaen â'r busnes.'

'Y Cerrig Mawr? Ond yn siŵr, Henderson, dydach chi ddim yn credu bod cysylltiad rhwng—'

'Nac ydw. Dydw *i* ddim. Ond rydych *chi* wedi mynd i amau bod. Mae pob idiot yn yr ardal wedi mynd i feddwl hynny. Nid dyna'r gwir?'

Gwingodd Philips yn ei groen.

'Wel,' meddai, 'mae'n rhaid cyfadde bod digwyddiadau fel hyn yn gwneud i rywun *feddwl.*'

'Mi wyddwn i. Dyna pam rydw i mor benderfynol o orffen y gwaith.'

'Pa waith? Y nefoedd wen, Henderson, dydach chi ddim yn meddwl symud y *drydedd* garreg hefyd, ydach chi?'

Pwysodd Henderson ei benelin ar y seidbord, ei lygaid yn ddau dalp o rew yn ei ben.

'Rydw i'n synnu, Philips, nad ydych chi ddim yn fy nabod i eto. Dyn penderfynol ydw i. Dydw i ddim am gymryd 'y nhrechu gan ryw sbwriel o hen gerrig. Does gen i ddim byd mwy i'w golli, p'un bynnag. Does gen i ddim i fyw er 'i fwyn o rŵan ond profi i'r giwed ofergoelus rydych chi'n perthyn iddi mai dau gyd-ddigwyddiad oedd damwain Jean a'r clwy ar yr anifeiliaid. Pethau allai ddigwydd i unrhyw un.'

Ochneidiodd Philips.

'Gwrandewch, Henderson. Gwrandewch ar gyfaill. Ffariar ydw i. Addysg wyddonol ges i. Rydw i'n cytuno â chi mai cyd-ddigwyddiadau oedden nhw. Ond . . .'

'Wel?'

'Rhag ofn, Henderson. Er mwyn inni gael cadw'n sicrwydd gwyddonol, gadwch lonydd i'r drydedd garreg 'na. Rhag *ofn*.'

Cariodd Henderson ei drydydd whisgi dwbwl at y stof-lo-carreg a suddo i'w gadair freichiau. Croesodd un goes dros y llall. Ond ni allodd yr ystum hamddenol hwn guddio'r berw ynddo.

'Wyddoch chi beth, Philips? Mae'n bathetig ych clywed chi'n gwadu popeth rydych chi'n sefyll drosto. Chi, sy'n rhoi'ch holl ffydd i wella anifeiliaid mewn fformiwlâu gwyddonol, mewn ymchwil coleg a lab. A phan mae'r rheini'n methu, yn saethu'r creaduriaid, claf ac iach, fel petaen nhw'n frain. Os ydych chi'n barod i gredu fod 'na ddewiniaeth yn y Cerrig Mawr, pam na chredwch chi y gallai dewiniaeth achub fy anifeiliaid i, ac adrodd rhyw abracadabra uwch 'u pennau nhw?'

'Henderson, mae'ch gofid yn gwneud ichi siarad yn wyllt—'

'Siarad yn wyllt, ydw i? Ond fi ydy'r un sy'n cadw'i ben, Philips. Fi ydy'r un sy'n aros yn gall. Fi ydy'r un sy'n gwrthod credu mewn tabŵ! Ga i ddweud wrthoch chi beth ydw i'n 'i feddwl o'ch 'rhag ofn' chi?'

Dododd ei wydryn ar y stof, a chodi. Yna, oddi ar y silff-ben-tân uchel fe estynnodd hen focs bisgedi tun. Yn araf, bwyllog, gan daflu llygad 'nawr ac eilwaith ar y ffariar, tynnodd y caead oddi ar y bocs. Edrychodd i mewn iddo, a gwenu.

'Mae gen i rywbeth yn y bocs yma, Philips, fydd o ddiddordeb ichi.'

Syllodd y ffariar yn ofnus amheus ar y perfformiad hwn. Doedd y peth ddim yn argoeli'n dda. Ddim yn argoeli'n dda o gwbwl.

Dododd Henderson y bocs ar y bwrdd a gwthio'i ddwy law i mewn i dynnu rhywbeth ohono. Pan welodd Philips y peth a ddaeth allan fe fu agos i'w goesau ymollwng dano.

'Penglog . . .'

Aeth gwên Henderson yn fwy danheddog.

'Ie, Philips. Penglog. Ddyn annwyl, rydych chi wedi colli'ch lliw! Helpwch ych hun i'r whisgi.'

'Diolch.'

Trodd Philips yn awchus at y botel, ac arllwys. Llyncodd yn hael a dodi'i wydryn ar y seidbord rhag i'w fysedd ansicr ei ollwng. Yna, trodd ei lygaid eto tua'r peth anghynnes yn nwylo Henderson.

'Ble . . . ble cawsoch chi hi?'

'Dan yr ail garreg. Honno chwythais i i fyny.' Trodd y benglog yn ei ddwylo. 'Mae hi'n beth del, on'd ydy?'

'Del!'

'Roedd yno esgyrn hefyd. Esgyrn dynol. Fe ddychrynodd Gareth am 'i fywyd. Fe ddychrynodd gymaint fel nad ydw i ddim wedi'i weld o wedyn. Mae o wedi 'ngadael i, wrth gwrs.'

'Dydw i'n rhyfeddu dim, y creadur bach! Ond beth sy'n bod arnoch chi, ddyn? Ydach chi ddim yn teimlo'ch bod chi'n rhyfygu, yn cadw'r fath beth yn y tŷ?'

'Rhyfygu?' Gwanhaodd gwên Henderson. 'Gair Benni Rees, Sychbant, ydy hwnna 'ntê? Wel, 'nawr fe gewch chi weld rhyfyg gwerth sôn amdano. Dyma rydw i'n 'i feddwl o Gerrig Mawr yr Hendre, a'r bobol cododd nhw ar ganol 'y nghae gorau i, a'ch ofergoeliaeth fabanllyd chi i gyd. Hynna!'

Taflodd Henderson y benglog ar y llawr teils a'i malu'n ysgyrion mân. A syllu'n foddhaus ar y darnau.

'Feder hi ddim rhythu a chwerthin 'nawr, feder hi? E?'

Er gwaetha'r whisgi fe deimlodd Philips gryd iasoer yn ei gerdded. Symudodd oddi wrth y seidbord.

'Maddeuwch i mi. Mae'n rhaid imi fynd.'

'Yn rhaid, Philips?' Cododd Henderson ei lygaid rhewllyd. 'O, piti. Wel, wna i mo'ch cadw chi. Mae gen i lawer o waith i'w wneud. Rydw i'n nôl Jean fory. Mi alla i fynd i'w chartre hi rŵan heb ofni dod â'r clwy i'r Hendre.'

Trodd Philips yn y drws.

'Ond mi allwch ddod â dôs newydd o'r clwy i ffermydd eraill yr ardal 'ma.'

'Ydych chi'n meddwl bod ots gen i am hynny bellach?'

Gwylltiodd y ffariar. P'un a oedd y dyn yma'n lloerig ai peidio, doedd o ddim yn mynd i gael peryglu bywoliaeth llond ardal o ffermwyr diniwed.

'Clywch, Henderson. Wn i ddim wnewch chi ddeall beth ydw i'n mynd i' ddweud. Ynte ydach chi wedi mynd tu hwnt i ddeall. Ond mi ro i gynnig arni. Wyddon ni ddim eto ydy'r clwy'n mynd i gerdded o'r Hendre 'ma i ffermydd eraill. Ond yn sicr ddigon, dydan ni ddim yn mynd i ddyblu'r risg. Mae gynnoch chi ddewis. Naill ai rydach chi'n aros yma nes bod y clwy wedi cilio oddi yma ac o Trilling. Neu—os ydach chi'n benderfynol o fynd i Trilling—rydach chi'n aros yno nes bod yr ardal honno a'r ardal yma'n glir.'

Cilwenodd Henderson.

'Rhoi pregeth arall imi rydych chi, Philips?'

'Rydw i'n disgwyl am ych ateb chi.'

Ciliodd y wên oddi ar wyneb y llall.

'Rydw i'n rhydd i wneud fel y mynna i.'

'Fe gawn ni weld am hynny,' atebodd Philips.

Roedd hi'n edrych yn debyg fod Henderson yn mynd i droi'n gas. Mesurodd Philips ei siawns yn ei erbyn petai'n mynd yn daro. Roedd y ddau oddeutu'r un taldra a'r un pwysau: Henderson efallai fodfedd yn dalach a Philips o bosibl hanner stôn yn drymach. Henderson wedi treulio mwy o amser yn y fyddin, Philips yn fwy cyfarwydd â thaflu ceffyl ac eidion. Yn rhyfedd iawn, roedd llai o ofn ar Philips ar y foment hon nag oedd arno gynnau wrth weld y benglog.

Fe synhwyrodd fod Henderson hefyd yn mesur a phwyso'i siawns mewn sgarmes. A dyna fo'n gofyn,

'Sut y byddech chi'n fy rhwystro i, Philips, rhag mynd odd'ma neu rhag dod yn ôl?'

'Mae 'na ffyrdd.'

'P.C. Jenkins sy wrth y giât 'na, mae'n debyg, o hyd?'

'Yn anffodus, dydy'r gyfraith fawr o help mewn achos fel hwn.'

'Roeddwn i'n meddwl hynny.' Glaswenodd Henderson. 'Wel? Pa ffyrdd sy gynnoch chi, Philips?'

Mentrodd Philips hi.

'Os gwrthodwch chi wrando ar reswm, torri o leia un asgwrn yn ych corff chi, fydd yn ddigon i'ch cadw chi mewn ysbyty am o leia bythefnos. Does yma'r un tyst; fedrai neb ddweud be ddigwyddodd ichi. Mi fydda'n gas gen i'i wneud o, ond—'

Y peth nesaf a wyddai Philips oedd fod Henderson wedi rhoi llam tuag ato ac wedi plannu'i ddwrn mawr yn ei wynt. Aeth Philips i'r llawr fel polyn. Trwy gil ei lygad gwelodd y ffarmwr yn tynnu'i goes yn ôl i estyn cic esgid iddo yn ei asennau. Pan ddaeth y gic, aeth dwy law Philips am yr esgid a thynnu Henderson bendramwnwgl i'r llawr. Eiliad arall, ac roedd Philips â'i ben-lin ym meingefn y llall ac wedi plygu'i fraich ar draws ei gefn. Er bod ei wynt mor fyr ac mor boenus fe lwyddodd i ddweud:

'Does dim gobaith ichi rŵan, Henderson. Mi wn i pa esgyrn sy hawsa i'w torri. Dim ond un slap ag ymyl fy llaw ichi yn fan'ma . . . neu fan'ma . . . neu fan'ma—'

'O'r gorau, Philips. Rydw i'n ildio.'

'Rhaid inni setlo'r manylion cyn inni godi. Be wnewch chi?'

'Mynd i Trilling. Does dim creadur byw ar y lle 'ma rŵan i'w borthi na'i odro na charthu ar 'i ôl. Ac mae arna i isio gweld Jean.'

'Iawn. Pryd gallwch chi fynd?'

'Y peth cynta bore fory.'

'Purion. Mi fydda i yma am ddeg i weld bod gwaith heddiw wedi'i orffen yn iawn. Mi fydda i'n disgwyl gweld ych car chi wedi mynd a'r drws dan glo. Wedyn fe all P.C. Jenkins a finna roi clo ar lidiart y lôn a gwifren bigog drosti fel na all neb ddod yma. A ddowch chitha ddim yn ôl yma nes cewch chi ffôn oddi wrtha i, a neb ond fi. Ddealloch chi bob gair ddwedais i?'

'Pob gair. Ga i godi rŵan?'

'Cewch.'

Cododd y ddau oddi ar y llawr. Henderson yn amlwg yn mudlosgi oddi mewn ond yn gwybod ei fod wedi colli'r rownd yma, beth bynnag. Philips yn rhoi eli ar y briw:

'Mae'n ddrwg gen i mai honna oedd yr unig ffordd. Lles yr ardal oedd gen i mewn golwg. A'ch lles chitha. Roedd yn well ichi gael cweir bach gen i na chweir mawr, hwyrach, gan griw o ffermwyr cynddeiriog.'

'Faint o amser y bydd rhaid imi fod odd'ma?' gofynnodd Henderson yn swrth.

'Pythefnos, tair wythnos ... efallai lai. Chadwa i monoch chi oddi cartre ddiwrnod yn hwy nag y bydd rhaid. Rydw i'n addo hynny ichi, beth bynnag.'

'Gobeithio'ch bod chi'n dweud y gwir. Achos rydw i ar frys i orffen 'y ngwaith. Cha i ddim llonydd nes bod y garreg ola 'na wedi mynd.' Gwacaodd weddill y botel i'w wydryn. 'Ond fydd dim cymaint o waith ar honno, wedi i'r hen Siôn Powel druan fynd â darn ohoni. E, Philips?'

Dechreuodd Henderson rygnu chwerthin yn ei wddw. Ond fe fethodd Philips â gweld y jôc.

'Os digwydd rhywbeth y tro nesa, Henderson, nid ar y Cerrig Mawr y bydd y bai, ond ar ych balchder anystyriol *chi*!'

Caeodd y drws ar ei ôl â chlep nerthol, gwthio'i draed i'w fwtsias a brasgamu'n llawn dop o ddig a syrffed i lawr y lôn tua'i gar.

16

Fe drefnodd Marian i gwrdd â Wil ei brawd yn y maes parcio am naw. Doedd Wil ddim mewn hwyl ry dda. Beth oedd yna i'w wneud yn y dre ar noson waith am awr a hanner? Doedd dim digon o amser i fynd i'r pictiwrs; doedd ganddo ddim diddordeb ym merched y dre; doedd o ddim yn yfed.

'Dos i Bernini am lond dy fol o tships ac wedyn dos at yr afon am smôc, ac mi synni di mor fuan yr eith yr amser,' meddai Marian.

Ac felly y bu. Fe fyddai'n llawer gwell ganddi fod wedi dod ei hunan. Ond wrth reswm, châi hi ddim dod ei hunan i'r dre wedi nos. Pan ddywedodd wrth ei thad ei bod wedi addo mynd i weld Gareth, fe roddodd Richard Owen ei droed i lawr. Wil i ddod gyda hi, neu ddim. Ac er nad oedd hynny wrth fodd Wil na hithau, ildio fu raid er mwyn cael dod.

Doedd hi ddim wedi cysgu llawer neithiwr. Roedd y baich yn trymhau. Ddwywaith neu dair yn ystod y dydd fe fu agos iddi ffonio at P.C. Jenkins i ddweud bod Gareth ar goll ac y gallai fod wedi gwneud niwed iddo'i hun. Ond pe gwnâi hi hynny fe fydden yn dechrau gofyn cwestiynau iddi hi. Pa sail oedd ganddi *hi* dros amau'r fath beth?

Ac roedd hi wedi dechrau dweud celwyddau. Wedi dweud wrth ei thad—ac wrth Wil—ei bod hi'n cyfarfod Gareth am hanner awr wedi saith wrth y cloc mawr. A dyma hi, ag awr a hanner i gribo'r dre, heb syniad ble i ddechrau. A heb unrhyw sicrwydd fod Gareth yma o gwbwl. Yn wir, yn ansicr iawn.

Ond roedd gan Marian ben oer. Fe aeth yn gyntaf at y cloc mawr, rhag ofn fod Wil yn ei dilyn. Yna fe groesodd y stryd i syllu i ffenest siop Littlewood. A dechrau ystyried. Tre fechan oedd hi . . . rhyw ddwy fil o bobol, glywodd hi ddweud? Fyddai Gareth ddim yn debyg o aros mewn gwesty. Ddim yn y Ship na'r Cross Keys, beth bynnag. Un o'r tafarnau llai? Y Red Lion? Yr Harp? Yr Angel? Un o'r rheina?

Go brin. Doedd o ddim yn ddyn tafarn. Doedd hi erioed wedi clywed amdano'n hel diod. Bid siŵr, fe allai fod yn boddi'i ofid yn un ohonyn nhw y funud hon, ac fe fyddai'n andros o fenter i ferch gerdded ar ei phen ei hun o un bar i'r llall i chwilio. Er y gwnâi hi hynny os oedd rhaid.

Ond mewn tŷ y byddai Gareth yn debyg o letya—*os* oedd o yma. Ac fe fyddai chwilio am lety felly, ar yr awr hon o'r dydd, yn waith pur anobeithiol.

Symudodd Marian at ffenest y siop nesa—Jessel y siop emau. Pethau neis yma hefyd. Modrwyau . . . Symudodd yn frysiog at ffenest Mace.

Rŵan, sawl caffi oedd yn y dre? Dyna leoedd posibl. Dyna dafarn datws Bernini . . . Ond fe fyddai Wil yn y fan honno, yn bur debyg. Gwell gadael Bernini tan y funud olaf. Yr unig dafarn datws arall oedd y lle tywyll, seimlyd ofnadwy 'na yng ngwaelod y dre . . . Doedd hwnnw ddim yn debygol. Yr unig dŷ bwyta arall fyddai ar agor gyda'r nos fel hyn oedd y lle newydd neis yna â'r enw Cymraeg . . . Cegin Marged. Hwnnw. Roedd Gareth a hithau wedi bod yno am de un diwrnod marchnad, ac roedd rhywbeth ysgafn ar dôst i'w gael yno tan naw bob nos. Fe allai dreulio hanner awr neu ragor yno. Bwrdd wrth y ffenest er mwyn cael gweld allan i'r sgwâr, a phosibilrwydd i Gareth ddod i mewn . . .

'Hylô, cariad?' meddai rhywbeth yn Saesneg y tu ôl iddi. Trodd i weld pen gwalltog uwch siaced ledr ddu, a thamaid o wyneb nad oedd yn apelio ati o gwbwl.

'Awn ni am dro bach, biwti?' meddai'r siaced ledr, â gwên weflog gam.

'Dim peryg,' meddai hithau. 'Rydw i'n aros am rywun.'

Siglodd y gwallt mawr.

'Pam aros?' meddai. 'Mae gen i foto beic. Ac mae 'na ddigon o lefydd i fynd.'

Ac estynnodd law fodrwyog ati.

'Bagla hi!'

Trodd Marian ei phen a gweld Wil yn edrych yn gas gynddeiriog ar y siaced ledr. Ac fe ddiolchodd yn ddistaw nad ar ei phen ei hun y daethai i'r dre. Syllodd y blewog ar y llanc tal cydnerth o'r wlad a phenderfynu, yn amlwg, mai doethach oedd cilio, gan nad oedd ei gang yno'n gefn iddo.

'O.K.,' meddai â gwên faleisus, a chodi'i sgwyddau, a'i chychwyn hi i chwilio am ysglyfaeth barotach.

'Jyst mewn pryd, mae'n amlwg,' meddai Wil, yn waeth ei hwyl na chynt.

'Wel, ia . . . diolch iti,' atebodd Marian, yn teimlo'n fychan braidd.

'A waeth iti heb â disgwyl am y Gareth 'na chwaith.'

'Pam?'

'Os oedd gynno fo ddêt efo ti, mae o wedi'i thorri hi.'

'Sut . . . sut gwyddost ti?'

Nodiodd Wil dros ei ysgwydd.

'Roedd o yn Bernini rŵan.'

Diolch byth, meddai Marian wrthi'i hun. Roedd y bachgen ar dir y byw, o leia. Aeth Wil yn ei flaen:

'Chymerais i ddim tships. Mi ddois ar f'union i ddweud wrthat ti. Isio gwybod sy arna i beth ydw i i fod i' wneud. Rhoi cweir iddo fo? 'Ta anghofio amdano fo a mynd â chdi adra?'

'Wel, rydw i am 'i weld o, siŵr.'

'Waeth iti heb, ddim. Mae 'na hogan arall efo fo.'

'Hogan arall . . . ?'

Er syndod mawr iddi, fe aeth gwaniad o genfigen drwy Marian.

'Wyt ti'n synnu?' heriodd Wil.

'Ydw . . . Nac ydw.'

'O. Un fel'na ydy o, ia?'

'Nage! Nage, nid un fel'na ydy o. Dwyt ti ddim yn deall.'

'Wn i ddim be sy 'na i'w *ddeall*, neno'r tad annwyl. Os ydy'r clewt wedi ffansïo pishin handïach—'

'Be wyt ti'n feddwl, pishin handïach?' Gwaniad arall o genfigen. 'Ydy o yn Bernini rŵan?'

'Yno roedd o, beth bynnag, bum munud yn ôl. Ac os bytith o'r holl tships oedd o'i flaen o, yno bydd o, ddwedwn i, drwy'r nos, wedi corffio.'

'Rydw i'n mynd i'w weld o.'

Rhythodd Wil arni fel petai ganddi gyrn yn tyfu drwy'i gwallt.

'Be haru chdi'r holpan? Ei di ddim i'w weld o *heno*, siŵr.'

'Af.'

'I be?'

'Nid drosta fy hun. Mae'i fam yn bryderus yn 'i gylch o. Mi addewais iddi y baswn i'n chwilio amdano fo.'

Ac yn y fan fe ddywedodd hi'r stori i gyd wrth Wil. Wedi gwrando, a'i hystyried hi'n ddifrif am funud, meddai yntau,

'Mi fasat wedi arbed cryn dipyn o boen i ti dy hun a thrafferth i bawb arall petaet ti wedi dweud yn gynt.'

'O, beth ydy'r ots rŵan?' meddai hithau'n boethlyd. 'Ty'd.'

Pan gyrhaeddodd y ddau dafarn datws Bernini, yno, yn siŵr ddigon, yr oedd Gareth, a merch golurog a digon llac yr olwg am y bwrdd ag o. Fe deimlod Marian ryw gasineb at y ferch hon nad oedd hi wedi'i deimlo at neb o'r blaen yn ei bywyd. Heb droi blewyn fe groesodd atyn nhw.

'Hylô, Gareth?'

103

Cododd ei ben. Am eiliad fe laciodd ei lygaid cyn caledu drachefn.

'S'mai?' meddai'n sychlyd.

'Pwy ydi *hi*?' meddai'r golurog yn Saesneg, gan chwifio sigaret hir ei llwch tuag at Marian.

'Na hidiwch pwy ydw i,' snapiodd Marian. Roedd hi cystal a chyn hardded â hon, o leia. Trodd wedyn at Gareth, a dweud yn Gymraeg. 'Mae dy fam yn holi amdanat ti. Mi fydd yn falch o glywed dy fod ti'n iawn. Mi ddweda i wrthi. Mi fydd yn falch o glywed . . . mor falch â finna.'

'Rydach chi braidd yn rŵd yn siarad Cymraeg mewn cwmni, os ca i ddweud,' meddai'r golurog.

'Dydw i ddim yn bwriadu cyfieithu er ych mwyn *chi*,' snapiodd Marian eto.

Trodd wedyn at Gareth.

'Ty'd adre i weld dy fam cyn bo hir,' meddai. 'Hyd yn oed os nad wyt ti am weld neb arall.'

A throdd ar ei sawdl.

Ar y ffordd adre yn y fen fe dorrodd i feichio wylo. Roedd o'n fyw, o leia. Hynny, wedi'r cyfan, oedd yn bwysig. Ac yr *oedd* hi mewn cariad—diolch i'r hoeden baentiedig 'na yn y dafarn datws. Ond yn rhy hwyr, diolch i Gerrig Mawr yr Hendre.

17

'O, mae'n rhyfedd bod yn ôl yn yr Hendre 'ma eto, wedi bod i ffwrdd am fwy na mis.'

Ochneidiodd Jean Henderson wrth syllu allan drwy ffenest y gegin ar y caeau, a phorfa'r hydref wedi tyfu'n dew heb anifail i'w phori. Roedd hi mor dawel yma: dim bref na chyfarthiad na hyd yn oed glwcian iâr. Mynwent o le. Ond roedd rhaid bod yn ddiolchgar. Yn ddiolchgar ei bod hi'n fyw ac yn gwella, ac nad oedd clwy'r traed a'r genau ddim wedi taro unrhyw ffarm arall yn yr ardal. Roedd hynny'n òd hefyd. A rywsut yn annheg. Pam eu taro *nhw?* Pam yr Hendre, a dim ond yr Hendre? Pam na fyddai'r pla wedi difa'r ardal estron atgas yma i gyd . . .?

'Dowch i gael paned o de, Mrs. Henderson fach,' meddai Gwen Jones, yn trotian yn brysur o'r cyntedd ac yn anelu am y tegell trydan oedd yn dechrau chwythu drwy'i big wrth y sinc.

Ymlaciodd Jean fymryn. Er cased oedd ganddi feddwl am ddod yn ôl yma roedd hi wedi colli clywed llais mamol Gwen Jones a phit-pat ei thraed ewyllysgar ar lawr teils y gegin.

'Fe gymer rai dyddiau ichi setlo i lawr eto, cofiwch,' meddai Gwen Jones. 'Dowch rŵan.'

Eisteddodd Jean wrth y bwrdd a derbyn y cwpanaid te.

'Diolch. A dweud y gwir, Mrs. Jones, doedd arna i ddim awydd dod yn ôl. Meddwl am fynd i'r tŷ llaeth yna eto, ac edrych ar y llawr lle syrthiais i—'

'Edrychwch, 'y nghariad i, peidiwch â dechra meddwl am hynna. Anghofiwch bopeth ddigwyddodd, a dechreuwch eto.'

'Haws dweud na gwneud.' Trodd Jean ei the am hir. 'Fe fyddai'n haws gen i anghofio petai Bill yn . . .'

'Yn beth?'

'Yn rhoi'r gorau i'r cerrig 'na. Mae fel petaen nhw wedi mynd i'w waed o, na all o ddim gadael llonydd iddyn nhw. Rydw i'n siŵr nad oedd o'n meddwl am ddim arall yr holl amser y buodd o yn Trilling, dim ond meddwl am ddod yn ôl i . . . i ddial ar y rheina.'

'Bobol annwyl.' Roedd Gwen Jones yn syllu arni'n sobor iawn, ei chwpan de o flaen ei hwyneb a'i dwy law fel petaen nhw wedi'u weldio amdani. 'Fanna mae o rŵan, Mrs. Henderson? Yn y cae?'

Nodiodd Jean.

'Chollodd o ddim munud. Wedi i Mr. Philips y *vet* ffonio neithiwr a dweud 'i bod hi'n glir inni ddod adre . . . hynny ydy, yn ôl yma . . . doedd na byw na marw na châi o gychwyn ben bore. Roedden ni yma erbyn canol dydd, ond chymere fo ddim cinio. Dim ond llwnc o goffi a brechdan gaws, ac i ffwrdd ag o i roi'r pethau ofnadwy 'na yn yr olgert . . . O, Mrs. Jones . . .'

Torrodd Jean i lawr. Mewn chwinciad yr oedd Gwen Jones wedi tynnu cadair at ei hochor ac wedi rhoi braich gref amdani.

'Rŵan, 'y nghariad i, thâl hi ddim cymryd atoch fel'na. Thâl hi ddim o gwbwl. Rhaid ichi ymwroli—'

'Mi ofynnais gawn ni fynd gydag o . . . jyst rhag ofn . . . i roi help . . .'

'Chaech chi ddim?'

106

Siglodd Jean ei phen a sychu'i llygaid.

'Fyddwn i ddim ond ar y ffordd, medde fo.'

'Wel, fe fydd popeth yn iawn, fe gewch chi weld—'

'Os bydd o'n ofalus. *Os* bydd o. Roedd golwg mor wyllt arno wrth fynd . . . Fe fuon ni'n siarad am y peth wrth ddod yn y car. Neu, o leia, mi fûm *i*. Edrych yn syth o'i flaen yr oedd *o*, y ddau lygad 'na'n galed ac yn benderfynol. "Mi ddangosa i iddyn nhw," medde fo. "Chaiff swp o hen gerrig mo'r trecha arna i." '

Gwthiodd ei hances poced i'w cheg a brathu'n galed rhag crio wedyn. Cododd Gwen Jones.

'Wel, dyna fo, 'mach i, does dim y medrwn ni'i wneud. Ond un peth. Gwneud pryd o fwyd iawn iddo erbyn y daw o'n ôl. Os na chafodd o ginio mi fydd ar lwgu. Dyna wnawn ni: llond 'i fol o ginio. Oes 'na gig yn y ffrij?'

'Mi ddes â dwy neu dair o *chops*—'

'I'r dim. Mi wna i'r rheini mewn dim amser. Pliciwch chitha dipyn o datws a chrafu dwy neu dair o foron ac—'

Ar hynny fe sgytiwyd drysau a ffenestri'r tŷ.

'Dyna fo wedi chwythu'r garreg!' meddai Gwen Jones. Bron nad oedd rhyddhad yn ei llais.

Ond yna fe sylwodd ar Jean. Roedd hi'n sefyll fel delw ar ganol llawr y gegin, ei hwyneb wedi colli pob mymryn o liw a'i dwylo'n llonydd dynn wrth ei hochrau. Heb air, fe ruthrodd i'r ffenest ac edrych allan. Doedd y Cerrig Mawr na'r cae ddim i'w gweld o'r tŷ ond roedd hi'n rhythu ac yn straenio fel petai'n disgwyl iddyn nhw ddod i'r golwg unrhyw funud.

'Mrs. Henderson . . . Jean . . . be sy'n bod?'

'Mrs. Jones. Mrs. Jones!'

Roedd y llais wedi codi bron yn sgrech.

Rhuthrodd Gwen Jones ati.

'Dyma fi, 'nghariad i. Wrth ych ymyl chi fan'ma. Be sy? Dwedwch wrtha i be sy!'

'Mae gen i syniad fod . . .' Roedd gwefusau Jean yn crynu'n ddireol: '. . . fod rhywbeth wedi mynd o'i le.'

'Ond beth *allai* fynd o'i le?'

'*Mae*'na rywbeth . . . Rydw i'n 'i deimlo. Mi *wn* fod 'na rywbeth . . . Bill!' Roedd hi wedi cydio yn lintel y ffenest ac yn gweiddi, 'Bill!'

'Ond mae o wedi hen arfer â ffrwydron,' taerodd Gwen Jones. 'Mi glywais i o'n dweud fwy nag un-waith—'

'Rhaid imi fynd ato.' Trodd Jean o'r ffenest. ''Nawr, y funud yma.'

'Mrs. Henderson, peidiwch â bod yn ffôl, da chi. Dydach chi ddim wedi cryfhau digon eto . . . Ac mae hi wedi oeri, mi gewch annwyd . . .'

Ni chlywodd Jean ddim rhagor. Roedd hi'n rhedeg nerth ei thraed, mewn esgidiau bach tenau a heb got amdani na dim am ei phen, i fyny'r buarth tua'r caeau agored. Roedd yr awel yn oer, ond ni theimlodd mo'r oerni. Roedd y glaswellt trwchus dros ei fferau yn llaith ond ni theimlodd mo'r lleithder. Ni theimlodd ddim ond y grym enbyd oedd yn ei thynnu am ei bywyd ar hyd y tair erw o lain las at y cae sofl. Roedd rhywbeth wedi digwydd i Bill—roedd hi'n sicir o hynny—ac roedd rhaid iddi fynd ato. Roedd arno'i hangen hi. Dyna'r cyfan oedd yn ei meddwl: un syniad

108

crwn, caled yn drybowndio fel marblen y tu mewn i'w phen a hithau'n rhedeg: 'Rhaid imi fynd ato . . . rhaid imi fynd . . . rhaid imi . . .'

Fe wyddai, heb edrych yn ôl, fod Gwen Jones yn ei dilyn. Ond rhyw wybod diarwybod oedd hwnnw. Acw yn y cae mawr, y tu hwnt i'r rhes o goed ceimion, yr oedd ei meddwl hi. Acw'n unig. Doedd hi ddim yn meddwl chwaith. Ddim yn meddwl *beth* oedd o'i le, *beth* oedd wedi digwydd. Rhywbeth. Dyna'r cyfan. Yr unig air. Rhywbeth.

O'r diwedd, dyma hi wrth yr adwy. Safodd yno am funud, ei hysgyfaint bron â byrstio, yn pwyso am nerth ac anadl ar y postyn. Edrychodd tua'r Cerrig Mawr. Doedden nhw ddim yno. Doedd dim un ohonyn nhw ar ôl. Dim ond chwalfa o rwbel du lle buon nhw.

Chwiliodd ei llygaid yng nghyfeiriad y rwbel am ei gŵr. Ond roedd rhyw niwl drostyn nhw fel na allai weld yn glir. Niwl chwys a gwendid. Tynnodd gefn ei llaw'n ddiamynedd dros ei llygaid i'w clirio. Edrychodd wrth ei thraed. Yno'r oedd y ffrwydrydd—yn ddigon pell oddi wrth y Cerrig Mawr—wedi disgyn ar ei ochor i'r pridd, a darn o ffiws yn ymddolennu fel neidr drwy'r sofl. Rhaid mai yma'r oedd Bill yn sefyll i ffrwydro'r garreg . . . yn ddigon pell, yn ddigon saff, doedd bosib . . . Os felly, ble'r oedd e 'nawr?

Edrychodd eto tua'r rwbel ar ganol y cae. A'i weld. Roedd e'n symud ar ei bedwar o gwmpas y rwbel fel petai'n chwilio am rywbeth. Wedi brifo, tybed?

'O, Mrs. Henderson fach, roeddach chi'n rhedeg yn rhy gyflym o lawer . . . Mi fyddwch wedi chwysu ac oeri, mi gewch niwmonia'n siŵr . . .'

Unwaith eto, nid arhosodd Jean i wrando ar Gwen Jones. Acw wrth y pentwr rwbel yr oedd rhywbeth difrifol o'i le. Yno'r oedd ei lle hi, gyda Bill. A thuag yno'r oedd hi'n mynd, drwy'r soflwair llaith, fel ewig.

Pan ddaeth hi o fewn decllath, safodd yn stond.

'Bill?'

Rhewodd ei chalon ynddi. Doedd o ddim wedi brifo. Roedd pob braich a choes yn symud yn ddianaf. Doedd dim anaf ar ei wyneb chwaith. Ond roedd yr wyneb cyfarwydd hwnnw yr oedd hi wedi'i fwytho a'i gusanu ganwaith . . . yn hollol ddieithr.

Roedd e'n rhyw siglo'n ôl a blaen ar ei bedwar, yn cropian tuag un o'r tyllau mawr lle bu'r Cerrig, ac yna'n tynnu'n ôl yn sydyn ac yn edrych yn wyllt o'i gwmpas gan fwmial rhywbeth wrtho'i hun . . .

'Bill?'

Roedd Jean wedi stwffio'i dwrn rhwng ei dannedd ac yn brathu mor galed rhag sgrechian nes tynnu gwaed.

Mentrodd ddau gam yn nes.

'Bill, beth sy'n bod? Dwedwch wrtho i!'

Am funud, edrychodd yntau arni. Drwyddi'n hytrach. Roedd yn amlwg nad oedd yn ei gweld hi, neu nad oedd yn ei nabod hi. Trodd yn ôl eto at y tyllau mawr a dechrau griddfan yn uchel.

Pan deimlodd Jean law gadarn Gwen Jones am ei phenelin fe ddechreuodd deimlo eto. Craciodd y rhew am ei chalon. Llamodd dagrau i'w llygaid.

'O, mi wyddwn i, Mrs. Jones, fod 'na rywbeth . . . Edrychwch . . . O, alla i ddim edrych!'

Claddodd ei hwyneb ym mynwes fawr Gwen Jones.

'Dyna chi, 'nghariad i, peidiwch â chynhyrfu,' meddai hithau. 'Wedi cael sioc y mae o, mae'n siŵr. Mi fedar twrw mawr sydyn wneud petha fel'na i rywun.'

Tawodd yn sydyn wrth glywed Henderson yn gweiddi:

'Mae'r awyr yn llawn ohonyn nhw!'

Trodd Jean i rythu ar ei gŵr a chwiliodd Gwen Jones yr awyr.

'Yn llawn o be, neno'r bobol?' meddai'n ddryslyd.

'Maen nhw ym mhobman!' llefodd Henderson wedyn, gan sbio'n ffwndrus y ffordd hyn a'r ffordd acw a chodi'i ddwylo fel pe i'w warchod ei hun rhag rhywbeth. 'Pethau blewog, cymalog, satanaidd, yn codi ac yn dal i godi o'r tyllau wnes i . . . Cadwch draw!' sgrechiodd, ei ddwylo'n chwifio'n gyflymach. 'Peidiwch â dod ddim nes, y cythreuliaid! Dim nes, glywch chi?'

Cydiodd Jean a Gwen Jones yn dynn yn ei gilydd, yn synhwyro rhywbeth aflan yn awyrgylch y lle. Roedd llais Henderson wedi gostwng. Yn awr yr oedd fel petai'n dadlau â rhywun . . . neu rywrai.

'O'r gorau. Mi'ch codais chi o'ch bedd. Ond fe gawsoch ddigon o amser i farw. Tair mil a hanner o flynyddoedd. Ydy hynny ddim yn ddigon ichi? I neb?' Cododd ei lais eto. 'Fe *ddylech* chi fod yn farw. Rydych chi *wedi* marw! Ydych chi'n deall peth fel'na? Wedi marw, glywch chi? Marw! Marw!'

Crebachodd yn swp eto ar fin y twll mwya, gan edrych yn wyllt o'i gwmpas.

'Peidiwch â rhythu arna i fel'na! Dim ond un ydw i. . . . Beth ydy un yn erbyn degau? Peidiwch! Cadwch draw!'

Unwaith eto, trodd Jean ei chefn ato.

'Mrs. Jones, be *wnawn* ni?'

'Mae isio doctor.'

'Ond fedra i mo'i adael o!'

'A fedra inna mo'ch gadael chitha.'

Dechreuodd Jean grynu'n ddireolaeth. Am ba hyd y gallai hi—y gallai neb—ddal peth fel hyn? Dim ond dwy ferch ar gae mawr fel hwn, mor bell o bobman. Ond dyma benderfyniad sydyn.

'Mae'n rhaid imi fynd ato.'

'Na, peidiwch,' crefodd Gwen Jones. 'Fe all fod . . . yn beryglus . . .'

Ond roedd Jean wedi cerdded at ei gŵr.

'Bill?'

Ni chymerodd unrhyw sylw ohoni.

'Bill. Edrychwch arna i.'

'Wyddwn i ddim . . .' meddai yntau.

Plygodd hi yn ei ymyl.

'Wyddech chi ddim *beth*, cariad?'

Ond nid â hi roedd o'n siarad.

'Sut roeddwn i i wybod ych bod chi yma o hyd?' meddai wrth bwy bynnag yr oedd yn eu gweld. 'Dydych chi ddim i fod yma. Mae'ch amser chi wedi hen fynd heibio. Does dim lle ichi yn y byd 'ma heddiw. Dydyn ni ddim yn credu mewn pethau fel chi . . . Does 'ma ddim lle ichi, does gan neb amser ichi, ewch yn ôl i'ch tyllau, dan ddaear, i'ch oes ych hun . . .!'

Ac yna, a'i ddau lygad yn fflam dân, cydiodd yn dynn yn ei ben â'i ddwy law a llefain:

'Na, peidiwch ... peidiwch â dod i *mewn* imi ... gadewch lonydd i 'mhen i, beth bynnag! F'ymennydd *i*, Henderson, ydy hwn!'

Gollyngodd sgrech annaearol a rhowlio ar y sofl fel petai'n cael ei ddirdynnu. Ac yna, llonyddodd. Rhuthrodd Jean ato a'i droi ar ei gefn, datod ei dei a'i goler, rhwbio'i ddwylo ... gan geisio peidio ag edrych ar ei wyneb.

Pwy a ddaeth i'r fan y funud honno ond William Owen, Y Ddôl, yn fyr ei wynt wedi bustachu i fyny'r llechwedd.

'O, William Owen bach, diolch i Dduw am ych gweld chi!' Cydiodd Gwen Jones yn ei ddwy law, yn falch o gael cydio mewn rhywbeth.

'Ia, ond be sy wedi mynd o'i le?' meddai yntau. '*Digwydd* pasio roeddwn i, cofiwch ... clywed y ffrwydrad gynna, a dod draw i weld ... Sobrwydd mawr,' pan welodd Henderson yn llonydd ar y ddaear, 'be sy wedi digwydd i'r dyn 'ma, dwedwch? Dydy o ... dydy o ddim—?'

'Nac ydy,' meddai Gwen Jones yn isel, rhag i Jean glywed. 'Ddim wedi marw. Efalla y basa hynny'n drugaredd. Mae arna i ofn ma'i feddwl o ...'

Gwnaeth ddau lygad mawr crwn. A gwnaeth gŵr Y Ddôl geg gron.

'Dydach chi rioed yn dweud!' sibrydodd yntau. 'Ia, wel, dydw i *ddim* yn rhyfeddu ...'

Trodd Jean ei phen wrth ei glywed yn mwmial yno.

'O'r dyn, pam nad ewch chi i nôl y doctor neu rywbeth? Ydych chi ddim yn gweld bod 'i angen o?'

Ffrwcsiodd William Owen.

'O, siŵr iawn, ar unwaith, Mrs. Henderson fach. Mi a' i ar unwaith—'

'Ewch i'r tŷ,' meddai Gwen Jones, 'ac iwsiwch y ffôn. Mae hi ar y ffenest yn yr hôl.'

'O'r gora. Ac mi ffonia i adra hefyd. Mi ddaw Richard acw neu Wil a Marian i lawr i roi help—'

'Iawn, ond peidiwch â bod yn hir, William Owen bach—'

'Fydda i ddim, 'y merch i, fydda i ddim ... Na fydda, ddim yn hir ...'

A brysiodd i lawr y cae tua'r adwy cyn gynted ag y galla'i goesau oedrannus ei gario.

Plygodd Gwen Jones wrth ochor Jean uwchben y dyn mawr llonydd, yn ceisio rhoi rhyw ronyn bach o gysur i'r druan. Ond fe welodd hithau yr hyn yr oedd Jean wedi'i weld: dieithrwch enbyd yr wyneb wedi'i fferru mewn dychryn.

Yna, fe symudodd yr wyneb. Agorodd un llygad, yna'r llall.

'Mrs. Jones ... mae'n dod ato'i hunan ...'

Cododd y dyn ei ben ac edrych arnyn nhw.

'Pwy ydych chi?'

Roedd ei lais mor ddieithr â'i wyneb. Tynnodd Jean anadl sydyn a tharo'i dwylo dros ei cheg.

'Pam na adewch chi lonydd imi yn 'y medd?' meddai'r llais wedyn. 'Y fi, Kia, a 'mhlant, a phlant 'y mhlant? Beth wnaethon ni i chi? Pa ddrwg wnaethon ni?'

Teimlodd Jean y byddai'n well ganddi farw—neu'i weld *e*'n farw—na hyn.

'Be sy wedi digwydd iddo?' Doedd ei llais yn ddim ond gwich fechan fach.

'Mae o'n meddwl mai rhywun arall ydy o.' Dyna'r cyfan y gallai Gwen Jones ei ddweud.

'Meddwl?' Neidiodd Jean ar ei thraed. 'Ond rhywun arall ydy o! Nid Bill ydy hwn. Edrychwch arno. Y llygaid llonydd 'na . . . 'i weflau o . . . mae fel petai'i groen yn mynd yn dywyllach bob munud . . . *Nid Bill ydy hwn!*'

18

Ni wyddai Jean am ba hyd y bu hi'n eistedd yn y parlwr yn ceisio cynhesu o flaen tanllwyth o dân, ei chorff a'i meddwl wedi fferru.

Mae'n debyg iddi lewygu ar y cae; dyna ddywedodd Gwen Jones. Y peth nesa roedd hi'n ei gofio oedd gweld dau ddyn diarth iddi hi a merch ifanc yn codi Bill i'r olgert. Wedyn fe'i codwyd hithau ato. Ar y ffordd yn ôl, drwy chwyrnu'r tractor, fe'i clywodd yn mwmial rhywbeth am 'Kia' a 'gadael llonydd' ac yna'n gweiddi rhibidirês o rywbeth hollol annealladwy.

Drwodd yn y gegin yr oedd murmur lleisiau, yn isel fel o flaen angladd Cymreig. Gwen Jones wedi gwneud te i'r cymdogion cymwynasgar. Ac uwchben, ar lawr y llofft, gallai glywed sŵn traed Dr. Hughes, a'r ystyllen wan wrth y gwely yn rhoi gwich dan ei bwysau 'nawr ac yn y man. Roedd e mor hir yno!

Agorodd y drws, a daeth y ferch ifanc i mewn. Hon, mae'n debyg, oedd Marian. Fe fu hi'n canlyn Gareth am gyfnod, yn ôl y sôn, ond roedd hynny wedi dod i ben. Pam, tybed? Merch bert oedd hi hefyd; o leia, roedd hi'n siŵr o fod yn bert i ddynion, â'r gwallt gwinau llaes yna a phob chwydd yn ei chorff yn y lle iawn.

'Ydach chi'n teimlo'n well, Mrs. Henderson?'

Oni bai am yr acen Gymreig drom fe fyddai'r llais yna'n hyfryd.

'Ydw, diolch.'

'Rydw i'n siŵr y daw Mr. Henderson dros hyn hefyd.'

Yn rhyfedd iawn, doedd ar y ferch yma ddim o'r swildod gwirion oedd ar ferched ifainc y fro. Ac eto, doedd hi ddim yn hy.

'Does arnoch chi ddim eisiau'i weld o'n gwella, rydw i'n siŵr,' meddai Jean yn frathog.

Peth cas i'w ddweud, ac fe ddaeth allan yn ddifeddwl, ond dyna fe; roedd e wedi'i ddweud. Gwridodd yr eneth fymryn.

'Mae'n dda gweld pawb yn gwella, Mrs. Henderson.'

Merch ag ateb i bopeth. Trodd Jean a syllu eto i'r tân.

'Fe gawn ni weld pan ddaw Dr. Hughes i lawr,' meddai.

'Mae o'n dod rŵan,' meddai Marian. 'Cofiwch, Mrs. Henderson. Os bydd unrhyw beth y gallwn ni wneud, does dim ond isio ichi ffonio, neu ddweud wrth Gwen Jones. Fe ddaw un ohonon ni yma ar unwaith. Rydw i wedi gadael rhif Y Ddôl ar gerdyn wrth y teliffon.'

Pam yr oedd y rhain mor garedig? Doedd ganddyn nhw ddim achos i fod. Pa gymhelliad oedd i neb fod yn garedig mewn byd angharedig fel hwn? Fe ddylid diolch iddyn nhw, wrth gwrs. Ond pan agorodd Jean ei genau i ddiolch roedd Marian wedi mynd.

Yn ei lle, wrth y drws, safai Dr. Hughes, ei lygaid llwydion yn ddifrifddwys fel arfer. Clywodd Jean ei chalon yn cnocio.

'Pa mor ddrwg ydy o, Doctor?'

Daeth y meddyg i eistedd gyferbyn â hi.

'A bod yn hollol onest, Mrs. Henderson, fedra *i* ddim dweud. Rydw i wedi rhoi dôs go gref iddo, ac fe gysgith rŵan am rai oriau. Ond gofalwch fod digon o ddillad ar y gwely. Blanced neu ddwy arall—fydd hynny ddim yn ormod.'

Nodiodd Jean.

'Mi wnaf.'

'Na, wn i ddim *beth* i'w ddweud,' ochneidiodd y meddyg. 'Ond mi fedra i'ch sicrhau chi o un peth. Yn gorfforol, mae o'n sownd. Fel y gloch. Mae o cyn gryfed â cheffyl—'

'Ond beth sy wedi *digwydd* iddo?'

'Mi ddwedwn i 'i fod o'n diodde gan ryw fath o *hallucination*. Mi glywais am achosion tebyg, ond welais i'r un erioed o'r blaen.'

'Ddwedodd o rywbeth wrthoch chi?'

Siglodd y meddyg ei ben.

'Dim ond gwneud rhyw sŵn. Roedd o'n *debyg* i iaith. Ydy'ch gŵr yn medru rhyw iaith arall?'

'Nac ydy. Rydw i'n sicir o hynny.'

'Hmm. Nid ffwndro yn yr ystyr arferol mae o. Dydy o ddim mewn gwres. Ac fel y dwedais i, does dim byd corfforol o'i le arno, hyd y gwela i. Ond mae . . . mae'i olwg o'n wahanol.'

Edrychodd Jean i fyny'n sydyn. Roedd y doctor wedi sylwi hefyd. Meddai hi,

'Yn debyg i . . . anwariad cyntefig?'

'Dyna oedd yn 'y meddwl innau, Mrs. Henderson, ond na fyddwn i ddim yn hoffi'i ddweud o.'

Aeth Jean ar chwâl.

'O, Doctor, be wna i?'

'Fedrwch *chi* wneud dim, 'y merch i. Ond mae un peth yn sicir. Mae'n rhaid 'i symud o. Fe all fod yn beryglus; wyddon ni ddim. Rydw i am wneud un awgrym. Mae 'na seiciatrydd yng Nghaerdydd sy'n cymryd diddordeb mawr mewn achosion hynod fel hyn. Gyda'r Gwasanaeth Iechyd Cenedlaethol bondigrybwyll 'ma fel y mae o, mae arna i ofn y bydd rhaid ichi aros rai wythnosau—'

'Oes raid aros? Os ca i dalu, mi goda i'r arian rywsut. Fydd dim cost yn ormod—'

'Wel, chi sy'n dweud, nid fi. O dan yr amgylchiadau rydw i'n meddwl ych bod chi'n gwneud yn gall iawn. Hyd y gwela i, dyna'r unig obaith sy gynnoch chi. Mi drefna i ambiwlans i fynd ag o i Ddinbych heno, rhag i chi gael trafferth. Fe gawn drefnu wedyn sut i symud. Ond rŵan, gwell imi gael golwg arnoch *chi* . . .'

★   ★   ★

Trodd y fen o lôn yr Hendre i'r ffordd, Wil yn gyrru a'i daid wrth ei ochor, a Marian yn eistedd gyda'i thad yn y cefn.

'Tŷ sobor iawn ydy hwnna, yn siŵr i chi,' meddai William Owen. 'Nid bob amser y caiff yr annuwiol 'i ffordd, hyd yn oed mewn byd drygionus fel hwn.'

'Does a wnelo duwiol ac annuwiol ddim â'r peth,' gwrthryfelodd Wil, gan bwyso'i droed ar y sbardun.

'O, mi gewch chi'r petha ifanc ddweud be fynnoch chi,' atebodd y taid. 'Os gwelis i Satan wedi meddiannu enaid erioed, mi'i gwelis o y pnawn 'ma.'

'Satan . . .' meddai Marian wrthi'i hun, gan edrych drwy ffenestri ôl y fen. Fe arfer fe fyddai wedi chwerthin yn ddigon harti wrth glywed yr enw henffasiwn hurt. Ond yn awr, wrth wylio'r chwalfa rwbel, lle gynt y bu Cerrig Mawr yr Hendre, yn pellhau ac yn mynd yn flotyn du dieflig ar y llechwedd melyn, roedd yr enw rywsut wedi magu difrifwch newydd. Nid anghofiai hi byth mo wyneb y dyn Henderson 'na, na'r baldordd gwyllt oedd yn dod drwy'i weflau chwyddedig. Ac nid anghofiai byth mo'r fan a'r lle. Roedd sataneiddiwch yno'n sicr, beth bynnag am Satan.

Ble'r oedd Gareth 'nawr tybed? Wedi cael gwaith ym modurfa Ford yn y dre, fe glywodd hi hynny. Ac yn dal i gymowta gyda'r hoeden 'na, yn bur debyg, gyda'r nos. Ond a oedd o'n meddwl weithiau am y llecyn dieflig acw lle dechreuodd popeth fynd o chwith? Oedd o'n cofio ambell funud mor ddifyr oedd pethau cyn hynny, mor ddifyr y gallen nhw fod eto oni bai am y gromlech yn yr haidd?

119

19

'Bore da, Sister.'

Cododd y nyrs ei phen. Gwthiodd y llyfr nodiadau o'r neilltu a chodi.

'Bore da, syr.'

'Sut mae'r dyn heddiw?'

'Does dim newid.'

'Dim newid . . .'

Gwthiodd y seiciatrydd law fodrwyog drwy'i gnwd gwallt gwyn a symud at y gwely. Estynnodd y nyrs gadair iddo. Eisteddodd yntau, a syllu'n ddyfal ar wyneb y dyn llonydd.

'Dim . . . newid . . .' murmurodd wedyn.

Safodd y nyrs wrth ei ochor. Doedd hi erioed wedi gweld achos tebyg o'r blaen. Roedd aeliau'r dyn a'r blew ar ei freichiau a'i frest wedi tyfu'n weladwy o fewn wythnos, ac yr oedd y croen oddeutu bôn ei drwyn i lawr at ei wefus ucha wedi chwyddo nes ei wneud yn debycach i epa bob dydd. Fe garai hi ofyn llawer o gwestiynau i'r seiciatrydd, ond nid dyn i'w holi oedd Mr. Griffith. Doedd dim byd i'w gael allan ohono byth nes yr oedd wedi llwyddo; fe siaradai'n ddigon rhydd wedyn. Ar hyn o bryd, fodd bynnag, roedd e'n edrych yn bryderus iawn.

'Dim . . . newid . . . Ar ôl wythnos gyfan. Wel,' gan sythu'i gefn yn sydyn, 'rhaid dal ati. Fe rown ni gynnig ar rywbeth arall heddiw. Estynnwch y nodiadau wnaethoch chi ddoe, wnewch chi, Sister?'

Estynnodd hithau'r llyfr nodiadau. Trawodd Mr.

Griffith sbectol ar ei drwyn a darllen. Wrth ddarllen, murmurodd yn uwch ac yn uwch:

'. . . Dal i feddwl mai Kia ydyw . . . Disgrifiad byw o ladd mamoth ar lan afon . . . ie . . . diddorol . . . posibiliadau . . . Sôn am adeiladu claddfa iddo ef a'i deulu . . . yn y fan hon, llithro'n ôl i'r iaith gyntefig a cholli pob cysylltiad . . . I . . . e . . . Diolch, Sister.'

Estynnodd y llyfr yn ôl.

'Agorwch fymryn ar y llenni, wnewch chi, inni gael tipyn o haul i mewn?'

Disgynnodd llafn llachar o haul ar hyd y gwely.

'Digon . . . digon. Wel, 'nawr 'te.' Gwyrodd Mr. Griffith dros y gwely a chydio yn y llaw lipa ar y cwrlid. 'Mr. Henderson?' Dim ymateb. 'William?' Dim ymateb. 'Bill?' Dim.

Gwyrodd yn agosach at glust y dyn llonydd a dweud yn araf, yddfol:

'Kia?'

Agorodd yr amrannau trymion. Agorodd y gwefusau tewion y mymryn lleiaf ac ateb,

'Kia.'

Ac yna fe ddilynodd brawddeg neu ddwy anneall-adwy. Gwasgodd y seiciatrydd y llaw'n dynnach a dweud yn uwch,

'Mae'r . . . haul . . . wedi . . . codi.'

Ar ôl eiliad neu ddau, atebodd y dyn yn Saesneg,

'Mae'r haul . . . wedi codi.'

Gollyngodd y seiciatrydd anadl laes.

'Diolch byth. Mae e'n dal yn ddwyieithog hyd yn hyn. 'Nawr 'te. Beth wnewch chi . . . heddiw . . . Kia?'

Symudodd y gwefusau'n llafurus.

'Isio bwyd. Anifail yn coed. Draw.'

'Sut anifail?'

'Wsh—wsh.'

Trodd y seiciatrydd at y nyrs i arddweud nodyn.

'Disgrifiad onomatopeig . . . sŵn anifail yn symud drwy'r tyfiant. 'Nawr 'te. Ddim yn deall, Kia. Sut anifail? Mamoth?'

Siglodd y pen yn araf.

'Arth?'

Dim ymateb.

'Elc?'

Bywiogodd y llygaid.

'Elc!'

'Da iawn! Elc! Sut y lladdwch chi'r elc?'

'Carreg. Whish!'

'Da iawn . . . da iawn. Rydych chi'n dilyn yr elc . . . dilyn . . . dilyn . . .'

'Coed . . .'

'Ie, drwy'r coed . . . Ydy'r garreg gennoch chi?'

Tynhaodd llaw y dyn yn sydyn.

'Carreg . . .'

'Fain? Finiog?'

'Ie . . .'

'Rhywun arall gyda chi?'

'Oes. Llawer ohonon ni.'

'Pawb â charreg?'

'Pawb â charreg—'

'Welwch chi'r elc?'

'Gwela.'

'Yn agos?'

122

'Agos.'

'Wel, 'nawr 'te! Taflwch!'

Yn sydyn, rhoddodd y dyn sgrech, a throi ar ei ochor, ei ddwy law'n dynn am ei ben.

'Beth yn y byd—?' llefodd y nyrs, wedi dychryn.

Ond cododd Mr. Griffith ei law arni. Gwyliodd y ddau y dyn yn ymrwyfo ar y gwely, ei ddwylo'n crafangu'i dalcen, ei riddfan yn ofnadwy i'w glywed.

'Naill ai mae'r elc wedi'i ruthro a'i gornio,' meddai'r seiciatrydd yn isel gynhyrfus, 'neu mae un o'r lleill wedi anelu'i garreg yn gam a'i daro . . .'

Tawelodd y dyn mor sydyn ag y cyffrôdd, a gorwedd yno'n llonydd, lipa.

'Kia?' murmurodd Mr. Griffith uwch ei ben. 'Kia, ydych chi'n iawn?'

Agorodd y dyn ei lygaid led y pen a rhythu ar y ddau.

'Beth ydych chi'n feddwl, "Kia"?' meddai.

Prin y gallai Mr. Griffith gelu'i gyffro. Syllodd yn syth i lygaid y dyn a gofyn.

'Pwy ydych chi?'

'Pwy ydw i?' Cododd y dyn ar ei eistedd. 'Mi allwn i ofyn yr un cwestiwn i chithau. Bill Henderson ydy f'enw i, ond beth yn y byd rydw i'n 'i wneud yma Duw'n unig a ŵyr—'

'Henderson . . .' sibrydodd y nyrs yn hyglyw. 'Mae e wedi dod drwyddi—'

'Un o'r petha mwya sydyn welais i 'rioed,' meddai Mr. Griffith. 'Roeddwn i'n rhyw feddwl y byddai damwain ar sgawt hela neu rywbeth felly—'

'Edrychwch yma.' Roedd Henderson wedi gollwng ei goesau dros ymyl y gwely ac yn plygu 'mlaen yn

123

herfeiddiol. 'Pwy ydych chi a beth ydych chi'n trio'i wneud imi? Beth ydy'r jargon yma?'

'Mae popeth yn iawn, Mr. Henderson.' Cydiodd y seiciatrydd yn esmwyth yn ei fraich. 'Cymerwch hi'n dawel. Fe fuoch chi'n wael iawn, a 'ngwaith i ydy'ch gwella chi. Ond rydw i am ofyn un cwestiwn ichi. Ble rydych chi'n byw?'

'Y fi?' Edrychodd Henderson yn ddryslyd. 'Wel, yn yr Hendre, yn . . . Yr Hendre!' Fflachiodd dychryn yn ei lygaid. 'Y Cerrig Mawr . . .! O, na . . . peidiwch â mynd â fi'n ôl yno . . . peidiwch byth—!'

'Popeth yn iawn.' Gwasgodd Mr. Griffith ei fraich. 'Awn ni ddim â chi'n ôl yno. Rydych chi'n hollol ddiogel.'

'Y Cerrig Mawr . . .' sobiodd Henderson yn ddistaw a'i wyneb yn ei ddwylo.

'Sister.' Trodd Mr. Griffith ati. 'Fe ofynna i i Dr. Lang ddod yma. Rhaid rhoi rhywbeth iddo gysgu 'nawr. Peidiwch â'i adael e. Plentyn ofnus ydy e. Rydych chi'n deall.'

'Wrth gwrs, syr.'

Cerddodd Mr. Griffith ar hyd y coridor a throi i'r ystafell aros lle'r oedd Jean Henderson yn eistedd, wedi eistedd yn ddisgwylgar ers wythnos.

'Mrs. Henderson. Mae popeth yn mynd i fod yn iawn—'

'Doctor . . .!'

'Fe gewch 'i weld e am ddwy funud. Dim ond hynny, rhag 'i gyffroi e ormod. Cofiwch, mae e wedi dod— bron yn llythrennol—o farw'n fyw. Ac ar ôl heddiw . . . wel, mae gennoch chi waith hir o'ch blaen. Fe fydd angen amynedd, a chadernid . . . a chariad. A dechrau o'r newydd eto . . . yn rhywle arall.'

20

Yr oedd diwrnod arwerthiant yr Hendre'n ddiwrnod tawel braf. Caddug glas ysgafn ar wyneb y môr a llwydrew Tachwedd heb lwyr godi oddi ar y llech-weddau er ei bod eisoes yn gynnar brynhawn.

Roedd bwrdd bwyd hir wedi'i osod yn y sgubor a Gwen Jones wedi casglu hanner dwsin o ferched yr ardal yno i borthi'r criw a ddôi i'r sêl. Cymwynas olaf, fel petai, â Jean Henderson druan. Doedd hi ddim yma. Na Henderson chwaith, bid siŵr. Doedd fawr ryfedd.

Roedd Marian hithau wedi dod i helpu. Nid am fod arni awydd dod—roedd ei chalon hi'n ddigon trwm—ond am fod Gwen Jones yn gymdoges dda ac nad oedd neb yn gwrthod gwneud cymwynas ym mro Carn Babo—hyd yn hyn.

Fe ddaeth nifer o ddynion i'r sgubor am gwpanaid a brechdan cyn i'r gwerthu ddechrau. Y cyntaf un wrth ben Marian i'r bwrdd oedd y Cwnstabl Jenkins. Yna fe ddaeth ei thaid, William Owen, a Benni Rees, Sych-bant.

'Pnawn da ichi, Jenkins,' meddai Benni Rees. 'Wedi dod i ofalu am drefn a dosbarth unwaith eto, mi wela.'

Ni chymerodd y Cwnstabl unrhyw sylw o hynny, dim ond cyfarch yn urddasol:

'Sut ydach chi, Benni Rees? A chithau, William Owen?'

'Dydd da ichi, Cwnstabl,' meddai gŵr Y Ddôl. 'Dim ond sangwedj gaws a diod o de reit boeth, 'y ngeneth i,' wrth Marian, cyn troi at y lleill. 'Wel, diwrnod braf i sêl yr Hendre.'

'Purion diwrnod, wir,' atebodd y Cwnstabl heb lawer o frwdfrydedd.

Llygadodd Benni Rees y cwnstabl dros ymyl ei gwpan, yn amlwg yn darparu bachyn.

'Dydach chi ddim yn gorfod cadw llygad ar agor am y feirws heddiw, Jenkins.'

Pesychodd y swyddog a throi'i lygaid tua'r to. Ar hynny fe ddaeth y milfeddyg Philips.

'Ho,' meddai Benni Rees, 'mae'r awdurdoda gwyddonol wedi dod i orffen y lladdfa.'

'Sut ydach chi i gyd?' galwodd Philips. 'Dim byd cryfach na the, Marian? O, thâl hyn ddim mewn sêl. Amharu ar y gwerthiant, wyddoch. Mae isio rhywbeth i lacio dyrnau'r ffermwyr 'ma. Ydw i ddim yn iawn?' Trodd at y ffermwyr dan wenu. 'Ydach chi'r ffermwyr cyfoethog wedi gweld ych gwyn ar rywbeth yma?'

'Does dim byd yma i wagio llawer ar boced ffarmwr, a oes?' meddai Benni. 'Dim buwch, na dafad, na mochyn.'

Sefydlodd ei lygaid ar y ffariar.

'Wel,' meddai hwnnw, 'peidiwch ag edrych fel'na arna i. Rhaid i mi a 'nhebyg wneud yn dyletswydd.'

'Cweit so,' meddai'r Cwnstabl Jenkins. 'Gofynion y Gyfraith, yntê, Mr. Philips?'

Prysurodd William Owen i droi'r stori.

'Y . . . does dim rhyw lawer wedi dwad yma heddiw, nac oes? Ond mae'n siŵr i chi bydd 'na fwy yn y dre yr wythnos nesa pan fydd y ffarm 'i hun ar werth. Pwy brynith yr Hendre, ydach chi'n meddwl?'

'Rhywun â thipyn mwy o barch i'w gorffennol hi y tro yma, gobeithio.' Sipiodd Benni Rees ei de'n swnllyd. 'Er bod y drwg wedi'i wneud, wrth gwrs. Dim ond pentwr o rwbel lle buo tri maen hanesyddol fel milwyr yn gwarchod yr ardal.'

'Dal i ofidio am y gromlech, Mr. Rees?' meddai Philips.

'Mae Henderson yn gofidio mwy heddiw nag ydw *i*. Rydach chi'n teimlo'n o chwith yn yr Hendre 'ma, Philips, a'ch cyfaill Henderson wedi mynd.'

'O, fuo Henderson ddim yn gyfaill mynwesol i mi o gwbwl. Mae'n amheus gen i oedd gynno fo gyfaill mynwesol yn y byd. Roedd gynno fo ewyllys ry gre i fagu cyfeillion.'

Syllodd pawb ar Philips.

'Y . . . glywsoch chi sut mae o, Mistar Phylips?' gofynnodd William Owen yn ei lais mwya seiadol.

'Dyn toredig ydy o, felly y clywais i.'

'Mi fuo'n ffodus i ddianc efo'i fywyd.' Llais bas Benni Rees. 'Mi fuo'r gromlech yn drugarog iawn.'

Trodd y ffariar ato.

'Rydach chi'n *dal* i gredu mai'r gromlech oedd yn dial? Mai dyna achos 'i anffodion o?'

'Ydach *chi* ddim?' slensiodd Benni.

'O, nac ydw! Diar, diar, nac ydw. Er, cofiwch, roedd y petha ddigwyddodd yn gwneud i rywun *feddwl*. Ond rŵan, mewn gwaed oer . . . na, cyd-ddigwyddiada oedd y cwbwl. A'r peth wedi mynd ar ymennydd Henderson 'i hun yn y diwedd, wrth gwrs.'

'Wel, wir,' murmurodd William Owen, 'wn *i* ddim beth i'w feddwl. *Mae* arna i ofn coleddu syniada paganaidd, ond . . . yr olwg yna ar Henderson ar ôl iddo chwythu'r garreg ola . . . wna i byth anghofio. Na wna byth. On'd oedd Gwen Jones yn dweud 'i fod o'n 'u *gweld* nhw ym mhobman o'i gwmpas—'

'Mae 'na ddigon o bobl yn *gweld* nadroedd gleision yn 'u diod,' chwarddodd Philips. 'E, Jenkins?'

'Cweit so, Mr. Philips,' nodiodd yr heddwas. 'Fedra i ddim mynegi barn ar y drafodaeth yma, wrth gwrs. Mae'r peth y tu allan i sgôp y Gyfraith.'

Roedd Benni Rees yn edrych draw. Ac meddai,

'Beth sy gan Thomas y Contractor i'w ddweud, ysgwn i, mor brysur yn mân siarad yn fan 'na? Thomas!'

Bu agos i Thomas neidio o'i groen wrth glywed y floedd utgornaidd, er ei fod wrth ben pella'r bwrdd. Syllodd yn ffwndrus tua'r llais.

'Hylô? Oeddach chi'n galw, Rees?'

'Oeddwn. Dowch yma am funud.'

Ymlwybrodd y Contractor drwy'r cwmni bychan oedd yn sipian ac yn cnoi ar hyd y bwrdd, cwpan yn un llaw a phlât-dwy-deisen yn y llall, a'i het frethyn ar ei wegil.

'Wel?' meddai. 'Be sy'n mynd ymlaen fan hyn? Cyfarfod plwy?'

'Comisiwn ymchwil, Thomas,' meddai Benni Rees, 'ac arfer un o dermau cysegredig yr ugeinfed ganrif.'

'Ia,' meddai Philips, 'isio gwybod sy arnon ni be sy gynnoch *chi* i' ddweud.'

'Am beth?' Gwibiodd llygaid Thomas yn bryderus o'r naill i'r llall.

'Y Gromlech. Cerrig Mawr yr Hendre—gynt. Oedd a wnelon nhw rywbeth â'r anffodion gafodd Henderson?'

Dechreuodd dwylo Thomas grynu nes bod ei gwpan yn clecian ar y soser.

'Peidiwch â gofyn i mi ateb y cwestiwn yna,' meddai'n floesg. 'Byth! Petaech chi efo ni'n symud y garreg gynta 'na, heb sôn am y petha ddigwyddodd wedyn ...' Trodd ar ei sawdl, a thaflu dros ei ysgwydd, 'Peidiwch â chrybwyll y Cerrig 'na wrtha i. Byth eto! Byth!'

A gwingodd ei ffordd yn ôl tua phen arall y bwrdd. Dechreuodd Philips rygnu chwerthin yn ei wddw.

'Wel, dyna'r unig beth y gwn i amdano sy wedi llwyddo i ddychryn tipyn ar Thomas. Ac mae 'na waith dychryn arno *fo*, credwch chi fi!'

'*Roedd* yna waith dychryn arno,' meddai Benni Rees. 'Ond mae'r dyn wedi newid. Efalla na wnaethoch chi ddim sylwi.' Gosododd ei gwpan wag yn bwyllog ar y bwrdd. 'Fel yr ydw i'n hoff o ddyfynnu—er blinder i rai: "There are more things in heaven and earth, Horatio, than are dreamt of in your philosophy." Ac mi deimlodd Thomas rai ohonyn nhw.'

'Wel,' meddai Philips, gan danio'i bibell, 'os ydy Thomas yr amheuwr wedi teimlo, dydy Horatio'r gwyddonydd ddim—hyd yma. Ffariar ydw i. Addysg wyddonol gefais i. Meddwl modern caeëdig, os mynnwch chi, ond i mi ... cyd-ddigwyddiada oedd y cwbwl i gyd. Ac i chitha, Jenkins, rydw i'n meddwl.'

Plethodd y cwnstabl ei ddwylo y tu ôl i'w gefn.

'Fel y dywedis i, Mr. Philips, mae'r drafodaeth yma tu allan i sgôp y Gyfraith.'

'Wel, wel,' murmurodd William Owen, 'os ydy dynion gwybodus yn anghytuno, beth mae dyn cyffredin fel fi i'w feddwl? Mi fydd rhaid i'r peth fod yn bysl imi, mae'n debyg ... hyd 'y medd.'

Ar hynny dyma lais croch o gyffiniau'r drws:

'Ddowch chi rŵan, bawb, inni gael dechra ar y gwerthu? *Good selection* o *farm implements!* At y tŷ gwair cynta medrwch chi, 'sgwelwch-chi-dda.'

O un i un ymdreiglodd y cwmni oddi wrth y bwrdd ac allan i'r buarth. Ysgydwodd Marian ei phen i geisio'i wacáu o'r drafodaeth ryfedd. Roedd hi wedi clywed y cyfan, a bu'r clywed yn dipyn o ysgytiad. Am unwaith yn ei hoes roedd hi'n teimlo'n bur agos at safbwynt ei thaid. Beth yr oedd merch gyffredin fel hithau i'w feddwl?

O, wel, ddôi dim lles o bendroni. Roedd y merched eraill yn casglu'r llestri i'w golchi, yn barod erbyn y dychwelai'r criw ar ôl y gwerthu, yn fwy na pharod am gegaid arall—

'Ga i banad gen ti, Marian?'

Pan glywodd hi'r llais fe ruthrodd y gwaed i'w phen. Cododd ei llygaid yn araf, mor araf ag y gallai.

'O ... Gareth, ti sy 'ma. Cei, wrth gwrs. Aros funud, imi weld oes 'na beth cynnes—'

'Marian.'

Safodd hi ar ganol cam.

'Na hidia am y te am funud. Isio . . . isio diolch iti oedd arna i.'

'Diolch? Am be?'

'Am ddod i'r dre i chwilio amdana i.'

'O, digwydd bod yno'r oeddwn i—'

'Ac am fynd i ddweud wrth Mam 'mod i'n iawn.'

'Doedd hynny ddim trafferth.'

'Roedd o'n . . . golygu lot fawr iddi.'

Nodiodd Marian.

'Rydw i'n falch.'

Beth i'w ddweud nesa?

'Doeddwn i ddim yn disgwyl dy weld di yma heddiw,' meddai hi. 'Hanner diwrnod rhydd yn y garej?'

'Ia.'

'A hiraeth am yr Hendre?'

'Nage. Nid am yr Hendre.'

Unwaith eto fe glywodd Marian y gwaed yn rhuthro i'w phen.

'Sut mae dy . . . dy gariad di?'

Peth gwirion i'w ofyn. Ond dyna fo.

'Pwy wyt ti'n feddwl?' meddai yntau.

Dyma hi'n ei atgoffa â'i llygaid.

'O . . . honno!' Aeth wyneb Gareth yn goch. 'Roedd un noson efo honno'n ddigon.' A chwanegodd wedyn, 'Fûm i ddim efo neb arall chwaith, os dyna sy arnat ti isio'i wybod.'

'Wnes i ddim gofyn.'

'Wel, rydw i'n deud.'

Trodd Marian gil ei llygad ar y merched eraill. Roedd y rheini'n eu gwylio nhw, yn siarad amdanyn nhw, roedd hi'n siŵr.

'Edrych, Gareth, mae'n well imi fynd i helpu—'

'Marian.'

Ni allai mo'r help. Edrychodd yn syth i'w lygaid. Roedden nhw mor onest â'r dydd.

'Ga i dy weld di heno, Marian?'

Roedd hi'n berwi drosodd gan lawenydd ond doedd hi ddim am ddangos hynny i bawb. Nodiodd ei phen.

'Wrth gamfa'r Hendre?'

'Nage!' Daeth rhyw olwg drwblus i'w lygaid. 'Unrhyw le yn yr ardal . . . ond fan'no.'

Fe gymerodd Marian arni bendroni.

'Wel . . . os nad wyt ti'n ŵr rhy fawr i ddod i'n tŷ ni . . . ty'd i'r Ddôl.'

Aeth yr olwg drwblus o'i lygaid a daeth gwên braidd yn swil i'w lle.

'Mi gymra i'r paned te 'na rŵan. Does dim ots os bydd hi'n oer. Mi gei wneud llawer un boeth imi eto.'